공중그네

오쿠다 히데오 奥田英朗　　1959년 일본 기후岐阜 현에서 태어났다. 기획자, 잡지 편집자,
카피라이터, 구성작가 등으로 일하다가 소설가로 데뷔했다. 2002년《인 더 풀》로
나오키상 후보에 올랐으며, 같은 해《방해》로 제4회 오야부 하루히코상을,
2004년《공중그네》로 제131회 나오키상을 수상했다. 그 외 작품으로《우람바나의 숲》
《최악》《동경이야기》등이 있다.

옮긴이 이영미　　아주대학교 국어국문학과를 졸업하고, 일본 와세다대학교
대학원 석사과정을 수료했다. 옮긴 책으로《동경만경》《수요일 아침, 오전 3시》
《에든버러의 바비》등이 있다.

KUCHU BURANKO
by OKUDA Hideo

Copyright©2004 by OKUDA Hideo
All rights reserved.
First original Japanese edition published by Bungei Shunju Ltd., Japan 2004.
Korean hard-cover rights in Korea reserved by
UnHaengNaMoo PUBLISHING CO. under the license granted
by OKUDA Hideo arranged with Bungei Shunju Ltd., Japan
through The Sakai Agency, Japan and EntersKorea Co.,Ltd.

이 책의 한국어판 저작권은 (주)엔터스코리아 / The Sakai Agency 를 통한
일본의 文藝春秋와의 독점 계약으로 도서출판 은행나무가 소유합니다.
신 저작권법에 의하여 한국 내에서 보호를 받는 저작물이므로
무단전재와 무단복제를 금합니다.

공중그네

오쿠다 히데오 장편소설 ─ 이영미 옮김

은행나무

차 례

고슴도치

1

한밤중에 잠에서 깬 이노 세이지(猪野誠司)는 침대에서 몸을
뒤척였다. 얼굴을 덮고 있던 이불을 걷어내고 천장을 쳐다본다.
취침등이 켜진 샹들리에에 처음 보는 스위치용 체인이 매달려
있다. 아 참, 가즈미가 얘길 했었지, 조명을 바꿨다고……. 체인
끝에는 원추형 손잡이가 달려 있다. 그것도 뾰족한 끝 부분이
아래로 향한 채.

서서히 얼굴에서 핏기가 가셨다. 또 시작이야, 하는 생각이
들자마자 곧바로 호흡이 가빠져, 세이지는 침대에서 내려와 비
틀비틀 거실로 나갔다.

심장이 방망이질 치듯 요동쳤다. 입 안이 바짝바짝 말라 침을
뱉으려 해도 혀조차 적시지 못했다.

베란다 창문을 열고, 심야의 냉기를 가슴 가득 들이마셨다.
기도가 좁아지기라도 한 것인지 공기가 제대로 통하지 않았다.
빨대로 숨을 쉬는 느낌이다.

얼굴 가득 땀이 배어 나왔다. 세이지는 무릎에 손을 얹고 몸
을 구부렸다. 현기증이 났다. 한참 후에야 요란하게 트림이 나
오면서 겨우 숨통이 트이기 시작했다.

거친 숨을 몰아쉬며 손등으로 이마의 땀을 닦아냈다. 저런 무

신경한 여자 같으니! 부글부글 화가 치밀었다.

세이지는 침실로 들어가자마자 체인을 잡아채 끊어버렸다. 내쳐 동거녀 가즈미의 엉덩이를 있는 힘껏 걷어찼다. "왜 이래." 가즈미가 볼멘소리로 항의했다. 화장을 지운 술집여자의 얼굴에는 눈썹이 없어서 머리까지 헝클어지면 영락없는 유령이다.

"야, 내가 날카로운 거 싫어하는 거 알아 몰라."

"뭐 때문에 또 이래."

"이거다, 이거!" 끊어버린 체인 꼭지를 들이밀었다.

"설마, 정말이야?" 가즈미가 이맛살을 찌푸린다. "내가 그런 걸 어떻게 알아."

"알아두란 말야, 엉! 몇 년을 함께 살면서 그 정도 눈치도 못채?"

"어이구, 미치겠네 정말……. 세이짱, 자기 명색이 기오이 파 중간보스 아냐. 그런 걸 무서워하면 어떡해."

"입 닥쳐." 세이지는 두 살이나 많은 누나뻘 여자에게 재차 발길질을 했다. 기가 센 가즈미도 물러서지 않고 발길질을 해대며 달려들었다.

한밤중에 부부싸움이 벌어지고 말았다. 세이지가 뺨을 때리면 가즈미도 세이지의 뺨을 때렸다. 원인이 원인인지라 끝이 안나는 싸움일 수밖에 없다. 화가 난다기보다 한심스럽다는 생각이 더 들었다.

"나, 젓가락 쓰고 싶어." 손에 쥔 숟가락을 흔들어대며 가즈미가 불만스러운 목소리로 말했다.

"그만 좀 투덜대. 두부 같은 건 그게 더 낫잖아."

일본식 아침식사인데도 두 사람 모두 숟가락을 쓰고 있다. 한 달 전부터 세이지가 젓가락 사용을 금지시켰다. 뾰족한 걸 보기만 해도 몸이 뻣뻣하게 굳고, 땀이 바작바작 배어 나오기 때문이다. 물론 이쑤시개도 치우게 했다. 포크는 흉기로밖에 안 보인다.

"이걸로 먹기 힘들어."

"전갱이를 구우니까 그렇지. 빙어는 손으로도 먹을 수 있는데."

"그럼, 내일은 꽁치를 대령하지."

"이게 정말! 그런 거 내놨다가는 확 엎어버릴 테니 그리 알아."

어제는 꽁치 대가리를 보고도 증상이 나타났다. 뾰족한 코끝 때문에 구역질이 나오고 말았던 것이다.

"도대체 왜 그러는 거야. 옛날엔 칼 들고 덤비는 놈과도 당당히 맞서던 '시부야 멧돼지' 가." 가즈미가 숟가락으로 된장국을 뜨며 말했다.

"낸들 아냐. 끝이 예리한 물건이 조금씩 싫어지더니, 어느 날 정신을 차려보니까 이 모양인걸. 정말 돌아버리겠다. 이대로 가다간 가위 든 어린애한테도 두 손 들겠지."

"선단공포증(先端恐怖症) 야쿠자라." 가즈미가 핏 코웃음을 쳤다.

"이게 뒈지고 싶어서 환장했나." 매섭게 노려보았지만 가즈미는 꿈쩍도 않는다.

오랫동안 기둥서방 노릇을 해온 터라 세이지는 더 이상 가즈미에게 권위가 서지 않는다. 타고난 성격 탓도 있을 것이다. 남자를 상대할 땐 얼마든지 난폭하게 다룰 수 있는데, 여자에게는 인정이 앞선다. 자기 여자를 유흥업소에서 일하게 하다니, 세이지로선 도저히 용납할 수 없는 일이었다.

"의사한테 진찰 좀 받아보지? 나, 감기 걸리면 가는 이라부 종합병원. 거기 분명히 신경과도 있었던 거 같은데."

"조폭이 신경과라? 체면이 말이 아니군."

"적당한 이유를 대면 될 거 아냐. 옛날에 찔린 상처가 아프다거나 뭐 그런 거."

"찔리긴 누가 찔려."

"후까시 잡는 게 중요한 거 아냐. 그쪽 세계에서는."

땅이 꺼져라 한숨을 내쉬고 숟가락으로 밥을 떠먹기 시작했다. 언뜻 옆을 쳐다본다. 식기진열장 유리에 자기 모습이 비쳤다. 이런 꼬락서니를 동생들에게 보일 수는 없다. 턱받이만 두르면 영락없이 아기가 밥을 먹는 모양새다.

서른두 살인 세이지는 시부야 일대를 세력권으로 하는 기오이 파 중간보스다. 대학 시절, 검도부 OB에게 지명되어 우익단체 검도사범 조교로 근무했고, 계열 조직에 스카우트되었다. 천성이 다혈질이라 샐러리맨은 안 맞을 거라 생각했기 때문에 별 망설임 없이 이 길로 들어섰다. 의협심에 대한 동경도 있었다. 〈의리 없는 전쟁〉은 비디오로 열댓 번은 봤다. 고급차를 끌고 다니고, 비싼 술을 마시고, 예쁜 여자를 무릎 위에 앉힐 수 있다. 그게 남자의 본능이라고 생각했다.

싸움도 싫지는 않았다. 중고등학교 내내 불량 서클 우두머리 격이었기 때문에 어깨로 바람을 가르며 걷는 쾌감을 이미 충분히 맛본 터였다. 사람들이 두려워하고, 자기를 기둥으로 의지한다. 야쿠자가 천직이라고 믿었다.

1년간 남의 밑에서 일한 뒤, 부도정리와 채권징수 전문으로 독립했다. 말발이 세고 요령이 좋아서 금세 큰돈을 손에 넣을 수 있었다. 현대의 야쿠자라는 직업은 개나 소나 할 수 있을 만큼 단순하지 않다. 삼류이긴 해도 대학을 나온 세이지는 나름대로 상술도 있었다. 상납금 액수가 늘어나자 오야붕의 신임도 두터워졌다. 30대 초반이 중간보스에 취임하는 건 발탁 인사라 할 만하다.

구류 세 번, 징역 두 번. 어쨌거나 단기간에 운이 좋은 편이다. 마흔까지 자기 일파를 만드는 게 세이지의 현재 목표다.

"세이짱, 슬슬 2호점을 내볼까 하는데." 가즈미가 싱크대에서 설거지를 하며 말했다.

"오호, 그렇게 장사가 잘되나." 이 사이에 낀 음식찌꺼기를 손톱으로 파내며 대답했다.

가즈미는 시부야에서 룸살롱을 경영한다. 그녀도 장사꾼 기질이 있는지 남편 뺨칠 정도로 돈을 벌어들인다.

"나나초메에 가게가 하나 나와서 얼마 전에 보고 왔어."

"야, 거긴 안 돼. 그쪽은 요시야스 파 관할이야. 이노 세이지 마누라가 가게를 냈다고 하면, 크게 한판 벌어진다구."

"신경 쓸 거 없잖아. 난 그 바닥 사람도 아닌데 뭐."

"그렇게 간단한 게 아니라니까. 니 가게는 자동적으로 이노 세이지 가게가 되는 거야."

"그런 말도 안 되는 소릴……."

가즈미가 돌아다본다. 설거지하던 식칼이 손에 들려 있다.

"으~아악." 반사적으로 몸을 뒤로 젖히던 세이지는 의자째 나뒹굴었다. 뒤통수가 바닥에 세게 부딪쳤다.

"허, 허, 헉!" 기겁하며 엉금엉금 기어서 부엌을 빠져나간다. 온몸의 관절이 후들거린다.

"이, 이년이! 감히 누구한테 식칼을 들이대!"

세이지의 행동에 놀랐는지 가즈미가 식칼을 바닥에 떨어뜨렸다. 식칼이 쿵 하는 소리를 내며 그대로 마룻바닥에 내리꽂혔다. 그 광경을 보자 시야가 흐려지면서 정신이 아득해졌다.

"제발 부탁이니까 병원에 좀 가봐." 가즈미가 걱정스러운 목소리로 말했다.

"시끄러워……." 세이지는 천장을 보고 누운 채 힘없이 중얼거렸다. 화를 내고 싶어도 몸에 힘이 들어가지 않는다.

도대체 왜 이러는 거지. 이 상태로는 밖에 일보러 나갔다가 무슨 엉뚱한 짓을 저지르게 될지도 모른다.

불규칙적으로 트림이 올라왔다. 심장은 100미터 달리기라도 한 것처럼 격렬하게 요동쳤다. 가즈미가 등을 어루만져주었다. 진정하는 데 10분이나 걸렸다.

"제발 부탁이야. 내가 예약해놓을 테니까……."

"……알았어." 세이지는 마지못해 가즈미의 부탁을 들어주기로 했다.

이라부 종합병원의 신경과는 어두컴컴한 지하에 있었다. 구치소가 떠올라 저도 모르게 인상이 찌푸려졌다.

"들어와요~!" 문을 노크하자 안에서 괴상한 목소리가 대답했다.

셔츠 매무새를 고치고 안으로 들어갔다. 몹시 뚱뚱한 중년 의사가 만면에 미소를 띠고, 1인용 소파에 떡하니 버티고 앉아 있었다. 살갗이 흰 바다표범 같은 용모였다. 가운 명찰에는 '의학박사·이라부 이치로(伊良部一郞)'라고 씌어 있었다. 원장 아들쯤 되나?

"흐흠~, 세이지라고 합니다." 세이지는 가슴을 뒤로 젖히며 위협적인 목소리로 말했다. 처음 만나는 상대 앞에서는 저도 모르게 그런 식으로 굴게 된다.

"응, 알아. 접수처에서 들었어. 강박신경증이라면서. 폐쇄? 고소? 아니면 도효(土俵, 스모를 하는 씨름판)?"

"……도효?" 세이지가 턱을 쓰윽 쳐든다. "뭡니까. 도효라는 건."

"시합 도중에 도효로 뛰어 올라가고 싶은 충동에 휩싸여 비지땀을 흘린다면서 스포츠지 스모 담당 기자가 얼마 전에 찾아왔었거든, 하하하."

이라부가 거침없이 웃어젖혔다. 지금 나를 조롱하는 건가? 은근히 부아가 치밀었다.

"선생님. 내가 신문기자로 보입니까?" 세이지가 으름장을 놓으며 말했다.

"아니, 야쿠자 같은데. 문신한 것도 비치고."

세이지는 맨살에 흰 실크 와이셔츠를 입고 있었다. 하긴 문신이 없다고 해도 건전해 보이는 풍채는 아니지만.

이라부는 태연하게 미소 지었다. 보통, 상대가 야쿠자라는 걸 알면 방어 자세를 취하게 마련이다. 무섭지 않다는 거야?

"선생님도 한번 새겨보시겠습니까?" 세이지의 목소리가 한층 낮아졌다.

"아니, 아플 거 같아서 싫어. 그나저나 주사 먼저 놓을까. 어~ 이, 마유미짱."

이윽고 안쪽 커튼이 열리면서 흰색 미니스커트 가운을 입은 간호사가 나타났다. 손에는 주사기가 들려 있었다. 의자에서 굴러 떨어질 뻔했다. 젓가락보다, 식칼보다 훨씬 무서운 게 주사기다.

순식간에 식은땀이 배어 나왔다. "서, 선생님. 난, 실은 선단공포증이라구요." 갑자기 떨리는 목소리가 나왔다.

"아, 그래. 그거 다행이네. 극복할 수 있는 좋은 찬스잖아."

"네엣? 아니, 그게, 그러니까……." 말이 꼬였다.

이라부가 일어서더니 세이지 뒤로 돌아가 상반신을 부둥켜안았다. "괜찮다니까. 그냥 비타민 주사야."

"자, 자, 잠깐 멈추란 말야!"

간호사가 팔을 잡아끌더 주사대에 고정시켰다.

"얏, 기다리란 말 안 들려!" 목소리가 거칠어졌다. 자리에서 일어서려 했다. 하지만 거인 이라부에게 짓눌려 꿈쩍도 할 수 없었다.

"자아, 얌전하게 있어요웃~. 찌른 뒤에 주삿바늘 부러지면 성가시거든……." 어린애를 대하는 듯한 말투였다.

바늘이 부러진다고? 머리가 어질어질했다.

"이봐, 까불지 마. 내가 누군지나 알아. 기오이 파 중간보스라구."

"소용없어. 병원에서는 대통령이든 노숙자든 똑같은 환자거든."

이라부가 귓가에 대고 속삭였다. 뜨거운 콧김이 목덜미를 스쳤다. 대체 뭐야, 이 병원.

간호사 손에 들린 주사기가 점점 팔뚝 쪽으로 다가왔다. 세이지는 패닉 상태에 빠졌다. 니들 맘대로 주사를 찌르게 가만있을 줄 아나본데. 이쪽은 검도 3단의 어깨란 말이지.

세이지는 바닥을 박차고 일어서며 있는 힘껏 몸을 피했다.

"어라, 저항하시겠다?" 이라부가 위에서 내리눌렀다.

"허잇!" 세이지는 온힘을 다해 바닥을 박찼다. 이라부가 비틀거리는 통에 두 사람 다 그대로 뒤로 쓰러지고 말았다. 주사대가 팔에 묶인 채였다.

"아야야야." 이라부가 소리 질렀다. "빌어먹을! 저항하겠다 이거지. 어이, 마유미짱. 내가 짓누르고 있을 테니 빨리 찔러버려."

이번엔 이라부가 바닥에 나뒹군 채 겨드랑이 밑으로 팔을 넣어 목을 졸랐다. 세이지는 몸을 빼내려고 필사적으로 버둥거렸다. 그러나 유도의 누르기 기술에 걸려든 것처럼 어깨를 단단히 짓눌렀다.

"선생님, 팔은 안 돼요. 알통이 튀어나와서." 간호사가 나른한 목소리로 말했다. 이 여자 역시 야쿠자인 세이지를 조금도 무서워하지 않는다.

"그럼, 옆구리든 넓적다리든 아무 데나 괜찮아. 단 내가 볼 수 있는 곳이라야 해."

믿을 수 없다. 이게 꿈인가 생시인가? 야쿠자가 되고 처음 겪는 일이다. 일반인에게 농락을 당하다니. 세이지의 머릿속은 엉킨 실타래처럼 혼란스러웠다.

"야, 멈추란 말 안 들려?"

"그렇게는 못한다니까~." 더할 수 없이 밝은 목소리였다.

"잠깐만!" 한심스럽게도 이젠 목소리까지 갈라졌다.

간호사가 세이지의 셔츠를 걷어 올렸다. 옆구리, 최근 조금씩 군살이 붙기 시작한 곳에 주삿바늘을 찔러 넣었다.

"으아악!" 두 눈을 질끈 감았다. 따끔한 통증이 느껴졌다. 서서히 핏기가 가시며 온몸이 굳기 시작했다.

눈물 한 방울이 뺨을 타고 흘렀다. 울어본 게 몇 년 만인가. 세이지는 혼란스러운 의식 속에서 저도 모르게 그런 생각이 떠올랐다.

두 사람 모두 숨을 헐떡였다. 세이지는 헝클어진 머리를 매만지며 의자에 앉았다. 머리가 제대로 돌아가지 않았다. 혹시 여기, 반대파 조직에서 운영하는 병원인가? 혼란에 빠진 기오이 파 조직원에게 독약을 먹이려는 건 아닐까. 그런 의심까지 생겼다.

"이노 씨가 팔꿈치로 쳤어." 이라부가 코를 감싸 쥐었다. "주사는 얌전하게 맞아야지."

"선생님, 질문 하나 해도 되겠습니까." 세이지는 마음을 가라앉히고 물었다.

"응, 좋을 대로."

"이 병원, 혹시 뒤를 봐주는 데라도 있습니까?"

"뒤를 봐주다니?"

"조폭 업계와 관련이 있냔 말이죠."

"아니, 그런 거 없는데. 건전한 경영이 모토거든."

"비타민 주사라는 것도 사실이고?"

"물론이지. 그게 가장 싸게 먹히거든."

"당신 말이야~." 눈이 뒤집힐 정도로 화가 났다. "환자한테 이런 짓을 하고도 순순히 넘어갈 거 같아. 엉?"

"치료인 걸 어쩌나. 하는 수 없지." 이라부가 천연덕스럽게 말했다.

"치료는 무슨 치료야. 환자 결박시키고 주사나 놓는 주제에."

"이런 치료도 있는 거지, 뭘. 고름은 째서 짜버려야 빨리 낫는 법이야. 피도 조금 같이 나오긴 하지만."

말문이 막혔다. 물론 납득한 건 아니다.

"역치료는 정신의학에선 상식적인 거야. 난 프로잖아."

무슨 말을 하긴 해야겠는데, 도통 단어가 떠오르질 않았다.

"그건 그렇고, 예리한 물건 가운데 어떤 게 거슬린다는 거지?" 이라부가 진료카드를 손에 들고 묻는다.

"모두 다라구요. 칼 종류는 물론이고 젓가락, 이쑤시개, 연필, 우산까지." 세이지는 부루퉁하게 대답했다.

"도쿄타워는?"

"뭐요?" 눈썹을 찡그렸다. "무슨 소리 하는 겁니까, 선생님."

"그것도 끝이 뾰족하잖아."

"그야 당연히 아무렇지도 않죠. 그렇게 큰데."

"미사일은?"

"그것도 상관없고."

"그럼, 꼬깔콘은?"

머릿속에 형태가 떠올랐다. "으으음…… 그건 좀." 그런 느낌이 들었다.

"결국, 사이즈에 달려 있단 말이군. 흔한 증상으로는 눈을 찌르는 듯한 이미지가 사라지지 않는 건데."

"마, 마, 맞아요. 바로 그거야." 세이지는 검지를 치켜세우며 몸을 앞으로 내밀었다.

정말 그랬다. 세이지의 머릿속에는 예리한 물건에 눈을 찔리는 이미지가 수없이 떠올랐고, 일이 벌어질 때마다 구체적인 이미지가 그려졌다.

이쑤시개 하나라도, 그걸 손에 든 자신이 어느 순간 자기 눈을 찔러버린다. 그런 영상이 생생하게 떠오르는 것이다.

"그겁니다, 선생님. 선생님이 지금 손에 들고 있는 펜만 해도, 아래를 향하고 있을 때는 꺼림칙한 기분이 드는 정도에서 멈추는데, 어느 순간 예리한 끝이 이쪽을 향하면 곧바로 공포감에 휩싸여서……."

"이렇게 하면 말이지." 이라부가 펜 끝을 들이댔다. 세이지는

"커걱!" 하고 소리를 내지르며 튕겨나가듯 몸을 뒤로 젖혔다.

"아하하, 미안, 미안." 이라부가 입을 크게 벌리고 웃는다.

발끈했다. 야쿠자는 상대가 얕보듯이 행동하는 걸 가장 못 참는다.

"선생님, 장난질이 좀 심한 거 아닙니까. 너무 바보 취급하면……."

"선글라스라도 써보면 어떨까? 야쿠자니까 부자연스럽지도 않을 테고." 이라부가 말했다.

"선글라스?"

"그래. 그걸로 눈을 가려주는 거야. 맨눈으로 보는 것보다 불안감이 덜할 것 같은데."

과연, 일리가 있다. 현실적인 대처법이다. 세이지는 이라부를 뚫어져라 뜯어보았다. 바보처럼 꾸미는 걸까, 아니면 정말 바보일까…….

시험 삼아 한번 써보자. 일반 선글라스는 옆에 공간이 뜨니까, 감싸는 걸로, 야구선수 이치로가 늘 쓰는 스포츠 타입으로 사면 되겠지.

"그건 그렇고, 나, 총을 꼭 한번 쏴보고 싶은데."

"네에?"

"세팅 좀 해주지. 철교 아래쯤에서."

"참 나, 그런 짓 하면 체포되는 거 몰라요?"

세이지는 그만 돌아가야겠다고 생각했다. 이런 이상한 의사는 더 이상 상대하고 싶지 않았다.

"이노 씨, 내일도 와요"라는 이라부.

"내일도, 라구요?"

"응. 주사는 안 놓을 테니 안심하고." 잇몸을 드러내며 미소
짓는다.

"네에……." 왠지 모르게 세이지는 거절할 수 없었다.

완전히 스타일을 구겼다. 두려워하지 않으니 어떻게 대처해
야 할지 알 수 없다.

복도로 나오자 좀 전에 봤던 간호사가 담배를 피우고 있었다.
찬찬히 보니 육감적인 게 썩 괜찮은 여자였다.

"어이, 아가씨. 아까 해준 사람이지?" 능글맞은 미소를 지으
며 다가갔다. 간호사의 허리에 손을 두르며 내친 김에 엉덩이까
지 쓰다듬었다. "어때, 언제 저녁이라도."

간호사가 말없이 검지를 쳐들었다. 매니큐어가 번쩍이는 손
톱이 코끝을 스쳤다.

"으앗!" 놀라서 뒤로 몸을 빼내다 복도 벽에 뒤통수를 부딪
쳤다. 눈앞에 별이 번쩍였다. "이년이……." 머리로 피가 솟구
쳐 올랐을 때는 이미 간호사의 모습은 사라지고 없었다.

도대체 어떻게 생겨먹은 병원인지. 야쿠자를 야쿠자로 보지
않는다. 세이지는 보통사람들의 세계로 되돌아온 듯한 착각에
휩싸였다.

"사장님. 끝내주는데요."

사무실에 도착하자, 조직원 이사오가 선글라스를 칭찬했다.

"그러냐." 거칠게 대답하며 책상 위에 다리를 올렸다. 직사광선을 막아주는 스포츠용 선글라스라 그런지 실내에서는 조금 어두웠다.

시험 삼아 책상 서랍을 열고 펜을 꺼내 손에 쥐었다. 불안감이 슬며시 복받쳐 오른다. 그렇게 간단하진 않겠지. 그래도 증상은 3분의 1 정도로 줄어든 것 같았다. 우선은 그런 대로 다행이라 생각하자.

수첩을 펼치고 곧바로 일을 시작했다. 수화기를 들고 빚 독촉 전화를 걸었다.

"아~, 여긴 이노 사무소 이노 세이지라는 사람인데, 사장님 지금 계실라나?"

초장부터 위협적인 목소리로 말했다. 계속 겁을 주다가 상대가 체념하면 마지막에 약간 부드럽게 대한다. 그게 협박하는 요령이다.

"댁에서 끊은 어음이 부도가 나서, 잠깐 얘길 좀 나눴으면 하는데."

사장이 자리에 없다고 여직원이 말한다. 물론 세이지가 순순히 물러날 리 없다.

"어이! 뒤에 숨어 있는 거 다 알아. 좋은 말로 할 때 빨리 전화 받으라고 해. 안 받으면 애들 데리고 회사로 찾아갈 테니 그리 알고."

"커억~." 경기를 일으키는 듯한 목소리가 들린다. 상대가 떨고 있는 모습이 눈앞에 훤히 떠오른다. 이게 바로 야쿠자 일을 하면서 최고의 묘미를 맛보는 순간이다. 곧바로 사장이 전화를 받았다.

"사장님, 그렇게 슬금슬금 도망 다니는 게 아니지. 이쪽은 당신 집은 물론이고 아이들 학교까지 조사 끝낸 지 오래거든. 갚을 돈을 안 갚으면 쪼끔 불미스러운 일이 생길 텐데, 어쩌나."

협박은 첫째도 둘째도 밀어붙이기다. 여기저기 채무가 있는 경영자는 무서운 곳부터 순서대로 돈을 갚게 마련이다. 무슨 수를 써서라도 첫 번째가 되어야 한다.

"어? 들리질 않네. 귀가 좀 어두워서 말야. 당신 혹시 '기다려 달라'고 말한 건 아니지. 만약 그렇다면 내일 좀 안 좋은 일이 생길 텐데."

세이지는 하루에 20통가량 이런 전화를 건다. 그리고 두 군데 정도는 실제로 방문한다. 이 일도 10년쯤 하다 보면 여기저기서 일거리가 밀려들어온다. 일은 그런 대로 순조로운 편이다.

차는 물론 벤츠 S급이다. 팔목에는 로렉스 텐포인트가 번쩍거린다.

그렇기 때문에 선단공포증이 더더욱 걱정스럽다. 이 일이 알려지는 날에는 업계의 웃음거리가 되고 말 것이다.

2

"비켜, 저리 꺼져, 대체 이게 무슨 짓이야!"

그날은 진찰실에 들어가자마자 뒤에서 포박당했다. 이라부가 문 뒤에 숨어 있다가 덮친 것이다. "잡았~다!" 마치 귀신잡기 놀이라도 하듯. 그리고 눈앞에서는 주사기를 손에 든 마유미라는 간호사가 금강신(金剛神)처럼 턱 버티고 서 있었다. 불두덩뼈 언저리가 서늘해졌다.

"야, 이 새끼야. 말이 틀리잖아. 주사는 안 놓는다고 어제 그랬지?"

세이지는 이마에 시퍼런 힘줄을 세우며 필사적으로 발버둥쳤다. 돌발적인 상황으로 인해 심장이 쿵쿵거리며 맥박이 빨라졌다.

"그건 거짓말이지롱. 후훗." 이라부가 신이 나서 지껄였다.

"까불지 마. 당신은 의사도 아냐." 갈라진 목소리로 항의했다.

"당신이나 나나 피차일반이지. 그쪽도 정직하게 사는 건 아니잖아. 큭큭."

이라부가 세이지를 번쩍 들더니 진찰대로 옮겼다. 100킬로그램은 너끈히 넘을 것 같은 이라부가 위에 올라탔다. 마치 유도 곁누르기 기술에 걸린 듯한 모양새가 되었고, 그 틈을 타 간호사가 셔츠 소매를 걷어 올렸다. 주사기 바늘을 눈앞에 들이대는 통에 정신이 나갈 지경이었다.

"잠깐, 타임!" 또다시 목소리가 뒤집히고 말았다. "얘기 좀 합시다."

"안돼요~옹. 이미 늦었어."

"나한테 이런 짓을 했다간 나중에 어떻게 되는지 알고 있겠지." 침을 튀기며 말했다.

"글쎄, 이건 치료라니까 그러네."

"야, 이 자식아, 치료는 무슨 치료! 우리 애들 불러서……."

"자아, 긴장 풀고." 이라부는 꿈쩍도 하지 않는다.

제기랄, 이쪽은 야쿠자란 말이다. 거리로 나가면 사람들이 한쪽으로 피해 다닌다구. 그런데 이것들한테만 오면…….

순식간에 소독약이 칠해지고, 바늘이 팔을 뚫고 들어왔다. "으아~악" 비명을 질렀다. 고개를 옆으로 돌리자 바로 코앞에 잔뜩 흥분한 이라부의 얼굴이 보였다.

벌겋게 달아오른 뺨에 반짝이는 눈빛으로, 주사 놓는 모습을 뚫어져라 쳐다보고 있었다.

뭐야 이 새끼. 혹시 변태 아냐~.

어제, 엉덩이를 만진 것에 대한 복수인지, 간호사가 주사기를 빼내더니 세이지의 얼굴에 들이댔다.

'자, 이것 좀 보시지.' 조금도 웃지 않고, 쿡쿡 찌르는 시늉을 한다.

또다시 정신이 몽롱해졌다. 온몸이 바들바들 떨렸다. 어금니는 캐스터네츠처럼 딸깍거렸다.

"각성제는 안 하는 모양이네. 팔뚝이 깨끗한 걸 보니"라는 이라부.

완전히 전의를 상실했다. 아아, 이런 거구나. 몽롱한 상태로 생각했다. 무서워하지 않는 상대에게는 야쿠자 간판이 전혀 먹히질 않는 것이다. 바다표범을 위협해봐야 아무 소용 없듯이.

"이제 됐어. 이게 마지막이야. 내일은 주사 없어." 이라부가 만족스러운 듯 미소 지으며 말했다.

"어~이, 마유미짱. 커피 두 잔."

"그걸 누가 믿어요."

세이지는 초췌한 얼굴로 말했다. 욕설을 퍼붓고 싶어도 기력이 없었다.

"정신의학계에 역치료법은 2회까지라는 이론이 있거든. 이걸로 하루 정도 상태를 더 보고 나서, 그래도 낫지 않으면 투약으로 바꿔야지."

정말일까. 도저히 믿어지지 않지만 말대꾸할 기운도 없다.

간호사가 커피를 가져왔다. 가운의 가슴 부분이 벌어져서 몸을 굽히자 계곡이 훤히 들여다보였다. 노출광인가? 여자는 벤치에 널브러져 기대앉더니 잡지를 들척이기 시작했다. 황당한 병원이다. 점점 더 대항할 기력이 사라졌다.

"그런데 강박신경증의 경우, 돌발적인 행동에는 일단 어떤

계기가 있게 마련인데. 뭐 짚이는 거라도 있나? 예전에 칼에 찔린 적이 있다거나, 입에 총구가 박힌 적이 있다거나."

"그런 적 없어요." 될 대로 되라는 투로 아무렇게나 대답했다.

"맨주먹으로 싸우다가 모래를 뿌려서 앞을 못 본 적이 있다거나."

"그랬을 리가 있습니까." 시선을 피하며 말했다.

"이노 씨, 의외로 평화로운 인생을 보냈네."

순간 불쾌해졌다. "이것 보세요, 영화랑은 다릅니다. 총칼로 싸우는 일은 거의 없어요. 그리고 요즘 야쿠자는 불법이긴 해도 직업도 있고, 싸울 여유가 있으면 돈 모으는 데 신경을 더 쓴단 말입니다."

"흐음, 먹고살기 힘든 세상이 됐군."

이라부가 커피를 홀짝였다. 세이지는 힘이 빠졌다. 조폭 세계를 어떻게 상상하는 건지, 원.

"원인이 따로 있는 게 아니면 잠재적인 건가?"

"잠재적?"

"마음 한구석에 있긴 한데, 보이지 않게 숨어 있는 부분. 예를 들면, 사실은 야쿠자가 적성에 맞지 않을지도 모른다거나."

세이지는 입을 다물었다. 양미간을 찌푸렸다. 뭐라? 야쿠자가 적성에 맞지 않을지도 모른다?

"욕설을 퍼부어대면서도 한편으론 '이건 내 본모습이 아니야'라고 느낀다거나."

세이지는 팔짱을 끼고 생각에 잠겼다. 설마 그럴 리가 없다. 자신이 스스로 선택한 길이다. 후회한 적은 단 한 번도 없다.

그보다도 그런 질문을 받고도 화를 내지 않는 자신이 더 의외였다. 예전 같았으면 곧바로 발길질을 해댈 상황이었다.

"야쿠자 일이라는 게, 말하자면 고슴도치 같은 거잖아. 항상 상대를 위협하지 않으면 안 되는 거지. 그런 일은 누구든 지치게 마련이니, 그 반대급부로 끝이 뾰족하거나 예리한 물건을 받아들일 수 없게 됐는지도……."

"선생님, 사람 우습게보면 곤란합니다. 그렇게 물러터지진 않았다구요."

"실은 둥그스름한 물건을 좋아하는 스타일인지도……."

"이거 보세요, 여중생이 아니라구요."

"그럼, 보이지 않게 최선을 다하는 수밖에 없겠네, 현재 상황으로는. 아니면, 도수 안 맞는 안경이라도 써서 초점을 흐리게 하거나."

세이지는 한숨을 내쉬었다. 그만 돌아가자. 선글라스를 집어드는 순간이었다. 갑자기 안경다리 뒷부분의 뾰족한 끝이 시야에 들어왔다. 화들짝 놀라며 눈을 질끈 감았다. 그러나 이미 늦었다. 일단 이미지가 들어오면, 암흑 속에서도 서서히 공격을 가한다. 땀이 흥건히 배어 나왔다.

"왜 그래?"

"아무것도 아닙니다."

선글라스를 셔츠 주머니에 찔러 넣고 진찰실을 나왔다. "내일 또 와요"라고 말하는 이라부에게, 세이지는 '오긴 누가 와'라는 말을 목구멍 안으로 삼켰다.

"사장님, 무슨 일이라도 생긴 겁니까?"

사무실로 들어서자 이사오가 의아한 표정을 지으며 물었다.

"자식, 아직 모르냐. 요즘 한창 유행하는 거야."

돌아오는 길에 스키용 고글을 샀다. 안경걸이가 고무벨트라 쓸 때 거슬리지 않기 때문이다. 게다가 빈틈이 없어서 막아주는 느낌도 탄탄했다.

"왠지, 심기 불편한 울트라세븐처럼 보이는데요." 모두가 웃음을 터트렸다.

세이지는 동생들을 손짓으로 불러 모아, 일언반구 없이 머리통을 한 대씩 후려갈겼다.

차를 내오라고 시키고, 담배 연기를 내뿜었다. 고슴도치라. 이라부의 말이 떠올랐다. 분명 세이지의 인생은 고슴도치 그 자체였다. 열두 살 때부터 어깨에 힘을 넣고 다니기 시작했고, 이날 이때까지 상대를 위협하며 살아왔다. 고등학교 시절, 정학을 먹어 더 이상 나팔바지를 입고 활개 칠 수 없게 되었을 때는 마치 발가벗겨진 것처럼 마음이 허전했다. 지금도 기성복 양복에 카롤러(도요타의 인기 차종)를 타면 똑같은 기분이 들 것 같다.

하기야, 야쿠자는 모두 그렇다. 자기뿐만이 아니다.

등받이에 몸을 기대고 책상 위에 다리를 올렸다. 자기도 모르게 책상 모서리로 시선이 옮겨갔다. 마호가니 목재를 쓴 고급 가구였다. 꿀꺽 하고 목구멍으로 침이 넘어갔다. 지금까지 의식하지 못했던 모서리가 유난히 예리하게 눈을 파고들었다.

아냐, 신경 쓸 거 없어. 저런 게 어떻게 눈을 찌른다고.

신문을 펼쳤다. 눈으로 활자를 좇아보지만, 머릿속에 들어오지 않았다. 정체를 알 수 없는 불안감이 복받쳐 올랐다. 고글을 집어 들고 다시 한 번 모서리를 쳐다보니 아무래도 가만있을 수가 없었다.

"야, 이사오. 사무실에 톱 있냐?"

"공구상자에 접이식 소형 톱은 들어 있는데요."

"가지고 와."

자리에서 일어나 책상에서 멀찍이 물러섰다. 서서히 맥박이 빨라졌다. 세이지는 이사오에게 톱을 건네받자마자 곧바로 모서리를 잘라내는 자세를 취했다.

"왜 그러세요, 사장님. 30만 엔이나 준 책상인데요." 이사오가 깜짝 놀라 말리고 나섰다.

"시끄러워. 저쪽으로 꺼져." 팔을 휘둘러 뿌리쳤다.

순서대로 사각 모서리를 잘라냈다. 이마에 구슬땀이 흘러내렸다. 거친 숨을 몰아쉬었다.

휴후, 이제야 한숨 돌렸네. 그러다 문득 손에 든 톱을 내려다본다.

"허억!" 소리를 지르며 톱을 내던졌다. 이게 제일 날카로운 거였잖아.

이 일관성 없는 반응은 또 뭐란 말인가. 애초부터 이치에 맞지 않는 일이긴 하지만, 스스로도 믿어지지 않는다. 신경을 쓰는 순간부터 공포의 대상이 된다는 말인가.

퍼뜩 정신이 들어 주위를 둘러보았다. 동생들이 멀찍이 서서 불안한 표정으로 쳐다보고 있었다.

"저, 그러니깐 그게 뭐냐. 그래, 부딪치면 아플 거 아냐?" 횡설수설했다. 땀이 점점 더 흘러나왔다.

전화가 울렸다. 민망한 상황을 모면하고 싶은 마음에 직접 전화를 받았다. 의형제 사이인 스이타니였다.

"어이, 이노. 스즈키 건설 건 말인데. 총무 담당 녀석, 세게 나오고 있어. 회보 구독을 중단하겠다는 거야."

스이타니는 우익단체 낙하산 간부로 세이지와는 오래 전부터 알고 지내는 사이였다. 항상 서로의 일을 돕고 있다.

"어, 그래." 얼간이 같은 대답을 했다. "그건, 그냥 넘길 수 없지."

"다이카시(오야붕 밑에서 도박장 관리를 맡아보는 야쿠자 직책) 한테 상의하니까, 일단은 경영 자세를 추궁하는 혈판장(血判狀)을 보내라는 거라. 중간보스 이상은 모두 다. 너도 들어간다."

"음, 알았다."

기오이 파는 일단 일이 벌어지면 혈판장부터 보내는 조직이다. 그러니 놀랄 일은 아니었다. 헌데, 무심히 대답하고 나서야 사태의 심각성을 깨달았다.

"혈판장?"

"내일, 본부 사무실로 나와라. 오야붕도 나오실 거다."

"저어, 그게 말야……." 혈판장은 단도로 손가락을 자르고, 핏물로 손도장을 찍는 일이다. 수화기를 든 손이 후들거렸다. "그거 내 것만 우편으로 보내주면 안 될까. 이쪽에서 찍어서 보내줄 테니까."

"뭐야? 말 같잖은 소리 집어치워. 혈판장은 오야붕 앞에서 찍는 게 규율이잖아."

"그랬던가."

"정신 똑바로 차려. 오후 세 시까지야."

스이타니는 두말도 않고 전화를 끊어버렸다. 한동안 멍청히 서 있었다. 이게 무슨 청천벽력이란 말인가. 지금 같아서는 단도는 손에 쥘 수조차 없다. 다른 사람이 손가락을 자르는 모습을 보기만 해도 졸도할 지경이다.

"사장님, 안색이 안 좋은데요." 이사오가 말했다.

다른 사람을 대리로 보낼까. 그건 안 되지, 결석하는 건 오야붕 얼굴에 먹칠을 하는 짓이다.

"괜찮으십니까."

"성가시게 굴지 마. 이 새꺄!" 멱살을 낚아채 뺨을 후려쳤다. 이사오가 얼굴을 찡그리며 자리를 피했다.

위까지 아파 왔다. 밖에 나가 싸움이라도 해서 유치장에 들어갈까. 머릿속에 별별 생각이 다 떠올랐다.

일은 쉬기로 했다. 협박할 기력조차 없다. 야쿠자가 안 맞는 거 아냐……. 또다시 이라부의 말이 떠올랐다.

우울해져 책상 위에 푹 엎드렸다. 왠지 모르게 그 말이 맞는 것 같은 생각이 들었기 때문이다.

집으로 돌아오니 가즈미가 식탁 위에 부동산 계약서를 펼쳐 놓고 앉아 있었다. "나나초메 가게, 결정해버렸어. 카운터를 그대로 사용할 수 있거든. 내부 인테리어만 조금 하면 돼." 한껏 들뜬 모습으로 뭔가를 적어 넣고 있었다.

"야, 너 돌았어? 간판 걸자마자 요시야스 파가 쳐들어온다니까. 그쪽 요시야스 놈들은 성질도 더럽다구."

"괜찮다니까. 세이짱 이름은 들추지도 않을 거고, 물수건이나 화분 정도는 거래해도 되고."

"태평한 소리 집어치워. 야쿠자 네트워크를 우습게 보는 거야? 눈 깜짝할 새에 알려질 테고, 그러면 공격의 화살을 이쪽으로 돌릴 거란 말이지."

세이지는 불안했다. 그럴싸한 분쟁거리가 될 것이다.

"호적에도 안 올렸잖아. 그런데 문제될 게 뭐 있어."

"멍청하긴. 종잇조각 하나가 무슨 의미가 있냐. 같이 살면 부부지."

가즈미가 고개를 들었다. 세이지를 뚫어져라 쳐다본다. "그럼, 호적에 올리지 그래." 입을 삐죽거리며 말했다.

"야? 지금 그런 얘기 하는 게 아니잖아."

"그리고 지금 가게는 세이짱이 해."

"뭔 소리야. 내 일은 어쩌고."

이야기가 묘한 방향으로 흘러갈 것 같아 목욕이나 하려고 자리에서 일어섰다.

"그럴 바엔 차라리 깨끗이 손 씻고 나오든가." 가즈미가 거침없이 퍼부어댔다.

말문이 막혔다. 가슴이 철렁 내려앉았다.

"쓸데없는 소리 지껄이지 마." 뒤도 돌아보지 않고 빠른 걸음으로 걸어갔다. 파우더룸으로 들어가서 숨을 크게 내쉬었다.

"엄청 화낼지 알았는데." 부엌에서 가즈미의 목소리가 들려왔다. "난리 칠 줄 알았다구."

"입 닥쳐!" 성난 목소리를 내질렀지만, 왠지 한풀 기가 꺾여버렸다.

엉망진창이다. 완전히 맛이 갔다. 요 며칠 자신은 짖는 법을 잊어버린 개 같다.

옷을 벗고 거울을 보았다. 등과 팔에는 중국사자와 모란이 새겨져 있다. 조직에 몸담자마자 새긴 문신이다. 망설임 같은 건 없었다. 이 세계에서 살아가겠다고 결심한 증거다.

하긴 문신을 새기고도 은퇴한 선배가 있긴 하다. 그는 아사쿠사에서 운송업을 시작했다. "이쪽 업계에는 건전한 문신도 꽤 많아." 그렇게 말하며 웃었던가······.

안 돼, 안 돼. 도리질을 쳤다. 가까스로 쌓아올린 지위를 놓치는 바보가 어디 있단 말인가.

그것보다 내일 혈관장이 더 큰 문제다. 오야봉 앞에서 꼴사나운 모습만은 보이고 싶지 않다. 칼날 앞에서 벌벌 떨기라도 하는 날에는, 남자 체면이 깎이는 정도로 끝나지 않을 것이다.

물 속에 몸을 담그고 욕조 가장자리를 어루만졌다. 온몸에 힘이 빠졌다. 욕실은 의자도 물통도 모두 둥그레서 마음까지 평화로워진다. 피난처를 발견한 듯한 기분이었다.

그러고 보니 이라부도 둥글둥글했지. 또다시 그의 모습이 떠올랐다. 상상도 못 할 일을 당하고도 화를 내지 않는 건 아마도 그 체형 때문인가 보다.

오랜만에 오래도록 목욕을 했다. 걱정이 된 가즈미가 확인까지 하러 왔다.

3

노크를 하자, 예의 그 말투로 "들어오세~요!"라고 외치는 소리가 들렸다. 세이지는 침을 꿀꺽 삼키고 조심스럽게 문을 열었다.

머리만 들이밀고 진찰실 안을 살폈다. 이라부는 의자에 앉아 있었고 간호사는 벤치에 기대 있었다. 적어도 갑작스럽게 결박 당할 일은 없을 것 같다.

자기도 모르게 또다시 발길이 병원으로 향하고 말았다. 자신을 무서워하지 않는 사람이 있다. 그런 사실이 오히려 신선하게 느껴져서 안 가는 게 아깝다는 생각이 들었다. 그리고 이것도 인연이라면 인연이겠지.

오후로 다가온 혈판장 건도 있다. 지푸라기라도 잡고 싶은 심 정이었다. 그런 얼간이 같은 고민을 상담할 수 있는 상대는 오 직 이라부뿐이다.

안으로 들어서는데 등 뒤에서 인기척이 느껴졌다. 흠칫 놀라 뒤를 돌아보려는 순간, 덩치 큰 사내가 몸을 껴안아 번쩍 들어 올렸다. 털이 북슬북슬 난 팔뚝이 세이지의 상반신을 단단히 조 여 왔다.

"야, 이게 무슨 짓거리야!" 쓰고 있던 고글이 튕겨져 나갔다. 뒤를 돌아보니 아랍 계통 얼굴을 한 외국인이었다.

"헤헤헤. 세 번째니까 이쪽도 궁리를 해둘 수밖에." 이라부 가 잇몸을 드러내며 웃었다. "근처에 사는 이란 사람을 고용했 지. 늘 약을 줘서 잘 알고 지내는 사이거든."

"선생님, 어디로 옮기면 됩니까?"라는 이란인.

"진찰대에 올리고 잠깐만 눌러줄래?"

어느새 간호사는 주사를 준비해두었다.

"야, 이 자식아, 역치료는 두 번만 한댔잖아." 세이지가 갈라진 목소리로 따지고 들었다.

"사실은 세 번. 오늘이 마지막이야."

"그걸 누가 믿어. 니들, 이쯤에서 그만두지 않으면 매일 우익 단체 선전차를 보낼 테니 그리 알아."

"선생님을 힘들게 한다. 알라신이 용서하지 않는다."

"네놈은 입 닥치고 있어. 너하고는 상관없는 일이야."

세이지는 진찰대에 눕혀져 왼쪽 팔에 소독약이 칠해졌다. 주사기가 다가왔다. 현기증이 났다.

"아, 알았어……." 세이지는 체념했다. 이곳은 다이몬(代紋, 일본 폭력단의 문장)이 의미를 가질 수 없는 공간이다. "주사 맞을 테니까 일단 좀 풀어."

"믿을 수 없는데~." 이라부가 의심스러운 눈초리로 쳐다봤다.

"당신이 할 대사가 아닌 것 같은데."

죽어라 애원을 해서 겨우 이란인에게서 풀려났다. "나도 남자다. 주사 따위를 두려워하면 체면이 말이 아니지." 마치 스스로에게 타이르는 듯한 목소리로 말했다.

"그럼 그럼, 바로 그 패기야"라고 말하는 이라부. 한 방 먹여버리고 싶은 마음이 굴뚝같았다.

모두가 지켜보는 가운데, 스스로 주사대에 팔을 올리고 아랫배에 힘을 넣었다. 주사기를 보자 비지땀이 흘렀다. 내가 지금 뭔 짓을 하는 거야? 한심스러움이 극에 달했다.

간호사가 바늘을 가까이 댔다. 온몸이 바르르 떨렸다. 더 이상 참을 수 없어 고개를 돌렸다. 따끔한 통증이 느껴지고 불과 몇 초 만에 주사 맞기가 끝났다.

"와하, 극복했잖아."

"아직도 토할 거 같습니다."

"어제 그제보다는 엄청난 발전이지. 치료 효과가 있군."

대꾸도 않고 진찰대에 드러누워 버렸다. 아마도 자기 얼굴은 새파랗게 질려 있을 것이다. 바로 옆에서 이라부가 이란 사람에게 돈을 건네고 있었다. 더 이상 놀랄 일도 없다. 이라부에게는 상식이 통하지 않는다.

간호사가 차가운 물수건을 획 하니 이마에 던졌다. 엉겁결에 "고마워요"라고 인사까지 하고 말았다. 험한 일을 당한 건 오히려 이쪽인데.

"이거, 멋진데." 이라부가 바닥에 떨어진 고글을 주워 들며 말했다.

"그걸로 조금은 완화시킬 수 있어요."

"흐음. 이거 말고 얼굴 전체를 가려주는 헬멧은 어떨까. 용접공들이 쓰는 마스크도 좋고. 아하하하."

튀어나온 배를 쓰다듬으며 웃어젖혔다. 그만 돌아가야지. 힘없이 몸을 일으켰다. 아니지, 실은 용건이 있어서 왔던 것이다.

"선생님, 실은 오늘, 조금 껄끄러운 일이 있어서 말이죠……."

세이지는 오후에 있을 의식에 관해 이야기했다. 나이 많은 오야붕이 고지식해서 걸핏하면 혈판장을 찍고 싶어 한다, 단도를 앞에 두고 앉으면 도망쳐버릴 것만 같다, 자칫 실수라도 했다가는 문책을 당하게 될 것이다 따위의 이야기를.

"무슨 특효약 없을까요?"

"모르핀이라도 놔줄까? 공포심을 마비시킬 수는 있을 텐데." 이라부가 아무렇지도 않게 지껄였다.

"참 나. 특공대가 아니라구요. 게다가 우리 조직은 약에는 민감합니다."

"에이즈 양성 진단서를 끊어줄까." 농담을 하는 것 같지는 않았다. 세이지는 힘이 빠졌다.

"선생님, 진지하게 생각 좀 해보세요. 저는 아주 심각하다니까요."

"자 그럼~, 우선 리허설을 해볼까."

이라부가 신이 난 듯 말하며 간호사에게 메스를 준비시켰다. 둥그런 테이블 위에 빛을 받아 번쩍이는 메스가 놓여 있었다. 순간 급소가 움츠러들면서 이마에 땀이 번졌다.

"자, 집어봐." 이라부가 지시한다.

호흡이 거칠어졌다. 도망치고 싶은 충동이 몰려오면서 자기도 모르는 사이 슬금슬금 자리에서 일어서고 있었다.

머뭇머뭇 손을 뻗었다. 똑바로 쳐다볼 수 없어 고개를 돌렸다.

"그러면 곤란한데……. 주위에서 수상쩍어할 거야. 다른 생각을 해보면 어때? 어릴 때 즐거웠던 일 같은 거."

"갑작스럽게 그런 말을 하면……. 부모님은 사이가 나빠서 내가 열여덟 살이 되기를 기다렸다가 이혼했고."

"그럼 노래를 부르는 방법도 있긴 한데. 다시 말해서 의식을 메스에 집중시키지 않는 게 중요하단 뜻이지."

"혈판장을 찍는 상황에 어떻게 노래를 부릅니까."

손이 움츠러들어 도저히 만질 수가 없었다. 상체가 제멋대로 뒤로 젖혀졌다.

"안 되겠어, 손이 떨리잖아." 이라부가 체념한 표정으로 메스를 치웠다.

세이지는 낙담했다. 앞으로 몇 시간 후면 피할 수 없는 운명의 순간이 다가온다.

"그건 그렇고, 혈판장이라는 거 자기 스스로 손가락을 자르나?"

"그런데요."

"다른 사람이 잘라주면 그래도 좀 견딜 수 있을 거 같아?"

세이지는 생각에 잠겼다. 죽을 각오로 이를 악물면 참을 수 있을 것도 같다.

"견딜 수 있겠지. 좀 전에 주사도 이겨냈으니까."

"아아 뭐." 건성으로 대답했다. 하지만 혈판장은 자기 스스로 자르는 것이 관례였다.

"오른손, 골절상 입은 것처럼 깁스해줄까."

고개를 번쩍 들었다. 한 줄기 빛이 비치는 기분이었다.

"그리고 내 옛날 안경을 주지. 초점이 흐려지면 공포심도 줄어들 테니까."

"선생님⋯⋯." 엉겁결에 덥석 손을 부여잡았다. 눈시울까지 뜨거워졌다. 최선의 방법은 아니지만, 최악의 사태만은 피할 수 있을 것 같았다. 의형제 사이인 스이타니에게 잘라달라고 하면 된다.

세이지는 한참 동안 이라부의 손을 꼭 쥐고 놓지 않았다.

기오이 파 본부 사무실에 간부들이 집합했다. 전통 일본식으로 개조한 안쪽 방 상석에 오야붕이 앉아 있었다.

"어이, 이노. 팔이 왜 그래." 다이카시가 물었다.

"죄송합니다. 부주의로 부상을 조금." 심각한 표정으로 고개를 숙였다. "서명과 엄지손가락 자르는 일은 스이타니에게 맡기겠습니다."

"그거야 상관없지만"이라고 말하는 스이타니. "그건 또 뭐냐, 우유병 바닥 같은 안경을 쓰고. 너, 시력 1.5잖아"라는 스이타니.

"갑자기 나빠졌어." 궁색한 변명을 했다.

초점이 안 맞아서 머리가 어찔어찔했다. 모두가 자리를 잡고 앉자, 오야붕이 위엄 있는 목소리로 입을 열었다.

"스즈키 건설이 오랜 세월 쌓아온 교제를 일방적으로 파기하려고 한다. 이것은 일찍이 노동쟁의나 조합 와해에 전력을 다한 기오이 파 선대(先代)에 대한 모욕 행위이므로 우리는 결단코 묵과할 수 없다. 인의(仁義)에 어긋나는 행위를 일삼는 현 경영 진에 대해서는 호국단체의 이름으로……."

여든을 넘긴 늙은 오야붕은 사실은 돈을 밝히면서도 의협심을 논하고 싶어 한다. 십중팔구 자기도취에 빠져 떠들어대고 있을 것이다. 그러니까 걸핏하면 혈판장이라는 시대착오적인 의식에 매달리는 것이다.

"따라서 혈판장으로써 기오이 파의 군건한 의지를 밝히고, 경영진의 태만을 추궁한다."

한마디로 상대를 야코죽이자는 수작이다.

긴 이야기가 끝나자, 행사 때마다 자주 봐서 낯이 익은 청년이 굽이 달린 쟁반 위에 단도를 받쳐 들고 들어왔다. 그사이에 각자 서장(書狀)에 서명을 한다.

세이지는 침을 꿀꺽 삼켰다. 역시 단도가 주는 중압감은 대단해서, 부엌칼이나 주사기와는 압박해 오는 정도가 달랐다. 그 자리에서 도망치고 싶은 강한 충동에 휩싸였다.

"형제, 얼굴색이 안 좋은데." 옆에 앉은 스이타니가 작은 목소리로 속삭였다.

"아무것도 아냐." 무리하게 등을 곧게 펴며 이를 악물었다.

제일 먼저 오야붕이 혈판을 찍는다. 다음은 좌석 순서로 찍는데, 끝에 앉은 세이지가 마지막이다. 오야붕은 단도를 집어 들더니 과장된 몸짓으로 왼손 엄지손가락을 쓰윽 그어 피를 냈다. 그리고 서명장에 혈판을 찍었다. 옆에 앉아 있던 젊은이가 잽싸게 새하얀 무명천으로 손가락을 동여맸다.

이어서 다이카시가 익숙한 손놀림으로 손가락을 그었다. 조명을 받은 단도가 번쩍 빛나는 순간, 세이지는 자기도 모르게 자리에서 벌떡 일어섰다.

"뭐야, 이 자식." 간부가 날카로운 목소리를 날렸다.

"아, 아니. 뭐냐. 화장실에 좀……." 횡설수설했다. 얼굴은 온통 땀으로 번들거렸다.

"이 자식이 환장했나. 끝날 때까지 참아." 간부가 험악한 눈초리로 쏘아붙였다.

세이지는 다시 자리에 앉았다. 하지만 도저히 가만 앉아 있을 수 없었다. 금방이라도 엉덩이가 들썩거릴 것만 같다. 그래, 다른 생각을 하는 거야. 이라부가 그렇게 하라고 했었지. 노래를 부르면 된다. 소리를 낼 수는 없으니 마음속으로만.

(이봐요, 그럴싸한 말에 속아~ 흐느끼는 여인의 눈물도 몰라주고~)

왜 하필 사잔(일본 그룹 '사잔 오오루 스타즈Southern All Stars'를 줄여 부르는 호칭)이란 말인가. 명색이 조폭 아닌가.

(그대여~ 나는 여행을 떠나요~)

이번엔 오타 히로미. 기가 막힐 노릇이다. 마음 깊은 곳에 대체 뭐가 들어 있는 건지. 하기야 아무럼 어떤가. 정신을 딴 데로 돌리기 위해서라면 뭐든 상관없다.

속으로 죽을힘을 다해 노래를 불렀다. 꿈틀대는 불안감을, 이를 악물고 참아냈다.

그러나 허사였다. 단도가 옆자리에 앉은 스이타니에게 다다른 순간, 의식이란 의식은 모두 되살아나, 빛을 받아 희번덕거리는 칼날에 쏠리고 말았다. 이런 상황에서는 도수 안 맞는 안경도 아무 소용이 없다.

무릎이 후들거려 허둥지둥 왼손으로 내리눌렀지만, 그 손까지 바들바들 떨렸다. "으으윽" 소리를 내고야 말았다.

"어이, 이노. 아까부터 왜 그래. 행동이 이상하잖아." 스이타니가 혈판을 찍고 세이지를 향해 고개를 돌렸다. 손에는 단도가 들려 있다. "자아, 이젠 네 차례다."

시야가 흐려졌다. 역시 주사기와는 공포감을 비교할 수 없다. 아무리 해도 손가락을 내밀 수가 없다. 허리가 비틀리고 정좌하고 있던 무릎이 풀어지면서 뒤로 나자빠졌다.

"이노. 오야붕 앞에서 뭐 하는 짓이냐. 무례함이 지나치다." 다이카시가 정색하며 꾸짖었다.

"야, 이 새끼야, 신성한 의식을 뭐로 보는 거야." 다른 사람들도 힐책을 퍼부었다.

안 돼. 절체절명이다. 자칫 잘못하면 정말로 새끼손가락 한 마디가 잘려 나갈 상황이다. 그렇게 되면 무수한 칼날들이 눈앞에 들이닥칠 것이다.

"형님들!" 세이지는 목소리를 쥐어짰다. 몸을 일으키며 한쪽 무릎을 세웠다. "저는 할 수 없습니다. 남에게 손가락을 자르라고 해서 혈판을 찍다니, 그런 수치스러운 행동은 도저히 용납할 수 없습니다." 제멋대로 말이 입 밖으로 튀어나왔다.

"뭐야, 너. 무슨 소릴 하는 거야." 스이타니가 양미간을 찌푸렸다.

"혈판장은 결의의 증표다. 스스로 자를 때에만 의미가 있는 거다."

"어이, 눈까지 빨개."

"잔말 말고 들어!" 수상쩍어하는 스이타니를 향해 고함을 내질렀다. "나는 너의 도움을 받으려 했다. 내 부주의로 팔을 부러뜨리고 그 뒤치다꺼리를 형제에게 떠맡기려 했던 것이다. 이런 꼴사나운 조직원이 기오이 파의 앞날을 짊어질 수는 없는 일."

모두가 어리둥절한 표정으로 세이지를 쳐다봤다. 마치 외계인이라도 보는 듯한 시선으로.

"역시 아무 도움도 필요 없다. 내가 저지른 실수는 스스로 책임진다."

세이지는 왼손 엄지손가락을 입으로 가져가는가 싶더니 이로 살갗을 물어뜯었다. 통증은 느껴지지 않았다. 그럴 만한 여유가 없었다.

"형제, 서명장을 이리 내."

"어어, 으응." 기선을 제압당한 스이타니가 서명장을 앞으로 내밀었다. 세이지는 피범벅이 된 엄지손가락을 자기 이름 아래에 찍어 눌렀다.

감히 아무도 말을 꺼내지 못했다. 벽에 걸린 시계추 소리만 울려 퍼졌다. 잠시 침묵이 흐른 뒤, 오야붕이 우렁우렁한 소리로 입을 열었다.

"훌륭하다! 이것이야말로 진정한 일본 남아의 모습이다." 오야붕이 흥분한 표정으로 자리에서 벌떡 일어섰다. "혈판장이란 본래 사나이의 결의를 내보이는 것이다. 다른 사람의 도움을 받을 수는 없지. 손을 쓸 수 없으니 이로 물어뜯는다. 우러러볼 만한 근성 아닌가. 이노, 자네의 사내다운 기백, 내 똑똑히 기억하마." 입에 거품을 물고 열변을 토했다.

간부들이 서로 얼굴을 마주보았다. 이래도 되는 거냐, 하는 표정이 얼굴에 그대로 드러났다.

"이노를 본받아 너희들도 최대한 의협심을 키워야 한다."

"아닙니다, 오야붕. 전 그렇게 대단한 놈이 못 됩……."

세이지가 겸손하게 말했다. 저절로 그런 말이 쏟아져 나왔다.

"이노. 용돈을 좀 줄 테니 나중에 내 방으로 와라"라고 말하는 오야붕.

"송구스럽습니다." 깍듯이 고개를 숙이며 말했다. 어느새 땀은 말라 있었다.

젊은이가 단도를 치우자, 일시에 긴장이 풀리면서 굳었던 어깨가 아래로 축 처졌다. 들키지 않기 위해 엄숙한 표정을 흩뜨리지 않았다.

세이지는 자신의 연기에 스스로도 감탄했다. 그러나 그 장소에 한에서일 뿐이다. 언젠가는 들통이 날 게 뻔하다. 간부들은 그 후, 세이지를 대하는 태도가 못마땅한 듯 싸늘해졌다.

한숨 돌린 것도 잠시뿐, 사무실로 돌아오자 요시야스 파에게서 전화가 걸려 왔다. 가즈미의 개업 계획이 계약 단계에서 이미 들통이 나버렸던 것이다.

"이거 보십시다, 형씨. 물장사 입주는 정보가 곧장 들어오게 돼 있어. 보증인으로 나서다니. 이노 씨, 우리한테 싸움이라도 걸겠다는 거야 뭐야?"

침착한 말투였지만, 한발도 물러서지 않겠다는 위압감이 물씬 풍겼다. 세이지는 우울했다. 멍청한 것 같으니, 남의 이름을 제멋대로 쓰다니……. 하지만 이쪽도 '아, 그렇습니까'라며 순순히 물러설 수는 없는 노릇이다. 모양새를 갖춰야 한다.

"그쪽 쌀독에 손 넣을 생각은 추호도 없다. 계약 당사자는 상납금은 물론이고, 물수건이나 화분 같은 건 거래하겠다고 한다. 그런 건 난 노터치니까."

"말 한번 요상하게 하시네, 이노 씨, 계약자가 당신 여자 아뇨. 입장을 바꿔서 내 여자가 그쪽 구역에 가게를 내고 내가 들락거린다면 어떻게 되는 거지. 노터치로 끝나나?"

실로 지당한 말이다. 그러나 어떤 상황에서도 뒤로 물러서지 않는 게 야쿠자의 습성이다.

"그래서 나한테 뭘 어쩌라고?"

"뻔한 거 아니오. 당장 해약해야지. 당신이 이 바닥에서 손 씻고 나갈 거면 또 몰라도."

"알겠다. 그럼 이쪽도 이미 돈을 지불한 상태이고 하니, 손실액을 그쪽에서 보상하는 정도로 마무리 지으면 어떻겠나."

"어이, 지금 제정신이야?" 말투가 변했다. "잠꼬대는 집에 가서나 하시지." 상대가 나지막이 위협했다.

답답하구만. 세이지는 얼굴을 찡그렸다. 빠져나갈 방법이 있을 리 없다.

"그렇게 짱짱거릴 거 없어. 가게 한 칸 가지고 왜 이래. 요시야스 파도 격이 많이 떨어졌군"이라며 되받아쳤다. 어쩔 수 없는 천성 때문이다.

"뭐야, 이 새끼야. 전화로는 해결이 안 나겠군. 내일 우리 사무실로 와."

"누굴 바보로 아나. 누가 네놈들의 비위생적인 사무실까지 가겠냐. 내 얼굴 보고 싶거든 호텔 스위트룸이라도 예약해두시지."

험악한 말들이 한참 오고간 뒤에야 번화가 찻집에서 만나기로 했다. 동년배인 요시야스는 '비수·야스'라 불리는, 걸핏하면 칼을 꺼내는 걸로 유명한 야쿠자다. 마음속에 침울한 잿빛 구름이 가득 꼈다. 설마 사람들이 보는 데서 그런 짓을 하진 않겠지.

말할 것도 없이 집으로 돌아가자마자 가즈미를 몰아세웠다.

"너, 어쩌자는 거야. 남의 이름이나 함부로 써대고, 엉?"

가즈미는 부루퉁한 얼굴로 "그건" "아니, 그게"라며 말도 안 되는 변명을 늘어놓았다.

"어쨌든 가게는 단념해. 고집 부리고 개업해봤자 놈들이 가만두지 않아."

"그럼, 세이짱이 은퇴하면 될 거 아냐. 저쪽 얘기도 그런 거 아냐?"

"무슨 소리야. 그건 야쿠자들 상습 레퍼토리지. 무슨 의미가 있냐구."

항변을 하긴 했지만, 어정쩡한 톤이었다. 요즘 며칠 동안 줄곧 마음에 걸렸던 일이다.

"세이짱, 지치지도 않아? 세력 다툼밖에 더 하냐구. 늘 남 해칠 준비만 하잖아."

"그게 일이야."

"선단공포증도 그래. 실은 신경이 쇠약해져서 그런 거지. 강한 척하지만 본심은 예민하고 소심해진 거잖어."

"입 닥쳐. 멋대로 지껄이지 마."

버럭 화를 내며 욕실로 향했다. 가즈미까지 이라부와 똑같은 말을……

강한 척한다구? 장난이 아니란 말이야. 이제 와서 손을 씻으면 대체 뭘 해먹고 살란 말인가. 술집 지배인? 얼음집게 하나 제대로 못 집는데.

세이지는 욕조에 몸을 기댔다. 눈을 감고 깊은 한숨을 내쉬었다.

4

"어라, 이노 씨 왔네?"

노크도 하지 않고 문을 열자 이라부는 의외라는 표정으로 세이지를 뚫어져라 쳐다봤다. 바로 들어가지 않고, 문 뒤쪽부터 살폈다. 이란 사람은 보이지 않았다.

"이젠 다시 안 올 거 같아서 안 불렀지. 아깝다~, 올 거면 말을 하지 그랬어." 이라부가 손가락을 튕기며 아쉬워했다.

자기도 모르게 이라부 병원으로 발길이 향했다. 세 번씩이나 끔찍한 일을 당했으면서도.

야쿠자로 취급당하지 않는 것 자체가 소중한 체험이었다. 시키는 대로 하는 것에도 쾌감이 있다는 것을 오랜만에 다시 맛보았다. 그런데다 마음도 혼란스러웠다. 지난밤에도 제대로 잠을 자지 못했다.

"선생님, 힘나는 약 같은 거 없습니까. 주사 말고 먹는 걸로."

"있지, 엄청 많아. 뭐든 해낼 수 있을 것 같은 기운이 펄펄 솟는 약, 세상이 장밋빛으로 보이는 약, 어떤 걸로?"

"그런데 선생님, 뭐든 해낼 것 같다는 약, 그거 향정신성 약 종류 맞죠?"

스스로 판 함정에 빠져버렸다. 맥없이 힘이 빠진다. 그런데도 화가 나지 않았다. 이 사람 앞에서는, 이라부가 빗대어 말한 고슴도치가, 바늘을 얌전히 눕히는 것이다.

"이노 씨, 왜 그리 기운이 없어. 또 혈판장?"

"그게 그렇게 매일 있는 일이겠습니까. 그것보다 훨씬 성가신 일이 생겼어요."

"뭔데. 말해줘, 말해줘." 이라부가 어린애처럼 졸라댄다.

세이지는 다른 조직과의 분규에 관해 설명했다. 마음 한구석에 누군가가 들어주기를 바라는 심정도 있었다. 조직원들에게는 아직 밝히지 않았다. 불씨의 원인이 자기한테 있기 때문이다.

"혼자서 가? 위험하지 않을까."

"번화가 찻집이니 무턱대고 공격하거나 찌르지는 않을 겁니다. 조금 험악한 이야기가 오고갈 뿐이에요."

"흠. 내가 같이 가줄까? 보디가드로." 이라부가 말했다.

세이지가 고개를 번쩍 쳐들었다. 예기치 못한 말에 어떻게 대응해야 좋을지 순간적으로 판단이 서지 않았다. 그런데 왜 그런지 기분이 좋아졌다.

"농담이야, 농담." 이라부가 하얀 이를 드러내며 웃었다.

"선생님, 부탁드립니다. 같이 가주십시오." 세이지는 몸을 앞으로 내밀었다. "절대 아무 말도 하지 말고, 옆에 앉아 있기만 하면 됩니다."

"어~. 정말?"

"네, 부탁드리겠습니다." 고개를 깊이 숙였다.

싸움은 결국 머릿수다. 수적으로 우세한 위치를 차지하는 쪽이 이긴다. 둘이 간다고 해서 뭐가 해결되는 건 아니지만, 혼자보다는 낫다. 게다가 이라부는 거구다. 헤어젤로 머리를 올백으로 넘기고 선글라스를 씌우면, 정체불명의 거물 청부인쯤으로 보일 수도 있다.

"그럼, 주사 놓게 해줘."

"네?"

"같이 갈 테니까 한 대만 놓게 해줘."

"……선생님, 왜 그렇게 주사를 좋아하는 겁니까."

"왜긴, 흥분되잖아." 이라부가 콧구멍을 벌름거리며 말했다.

세이지는 이마에 손을 얹었다. 할 수 없다, 거기까지 찾아간 자기 잘못이다.

말없이 왼쪽 팔을 내밀었다. "어~이, 마유미짱." 곧바로 이라부가 흥분한 목소리로 소리쳤다.

변함없이 온몸이 떨리고 땀이 흐르고 기분이 나빠졌다. 그러나 날뛰지 않고 그럭저럭 참아낼 수 있었다. 연일 맞다 보니 익숙해지기도 하나보다.

"많이 발전했는데"라고 말하는 이라부.

귀찮아서 아무 대꾸도 안 했다.

만나기로 한 찻집은 번화가 뒷골목 지하에 있었다. 간판에 불이 꺼져 있는 게 예감이 안 좋았다.

"선생님, 어쩌면 요시야스 파 관계자가 경영하는 가게인지도 모릅니다. 만약 그렇다면 적지에 발을 들여놓는 꼴입니다만……."

"뭐 어때. 여기까지 왔는데."

이라부가 빗으로 머리를 빗어 넘기며 말했다. 이 사람에겐 긴장감이라는 게 없다.

에르메스 양복에 샤넬 선글라스. 이라부의 차림새는 상당한 수준이었다. 실제로 거리를 걸어보니 사람들이 슬금슬금 피해 다녔다.

"선생님, 미간에 주름을 잡으세요."

"이렇게?"

도무지 폼이 나질 않는다. 산수 문제를 못 풀어 쩔쩔매는 초등학생처럼 보였다.

"자, 눈앞에 있던 간식을 빼앗겼다는 상상을 해보세요."

"이렇게?" 겨우 박력이 느껴졌다.

"그래, 바로 그거야. 부디 침묵을 지키고." 마지막으로 한 번 더 다짐을 받았다.

심호흡을 크게 하고 나서 계단을 내려갔다. 문을 여니 예상했던 대로 일반 손님은 한 명도 보이지 않고 요시야스 파 젊은이 둘이 안쪽 테이블에 떡하니 버티고 앉아 있었다.

"웬, 혹이냐." 요시야스가 거친 목소리를 내뱉었다.

"말조심해. 이쪽에 계신 분으로 말할 것 같으면, 우리가 여러 모로 신세를 지고 있는 정신과의, 아니, 정신회(精神會) 소속 이라부 선생이시다."

"정신회? 어디 단체냐." 요시야스가 턱을 앞으로 쓰윽 내밀었다.

"이봐, 요시야스. 창피한 줄 알아라. 하찮은 세력권에 묻혀 사는 인간이라 세상이 어떻게 돌아가는지도 모르나본데."

세이지가 날카로운 기세로 쏘아붙였다. 그리고 곧바로 "선생님, 누추한 곳으로 모셔 죄송합니다"라고 말하며 이라부에게 고개를 꾸벅 숙였다.

이라부는 주머니에 손을 찔러 넣고 가슴을 뒤로 젖혔다.

그 기세에 눌린 요시야스가 입을 다물었다. 데리고 오길 잘했다는 생각이 들었다.

테이블에 앉기 전에 몸수색을 당했다. 젊은이들이 겨드랑이와 허리 부위를 조사했는데 이라부의 윗옷 주머니에서 주사기가 나왔다. 세이지가 눈을 부라렸다. 도대체 그런 걸 왜 들고 다니냐~.

"어이, 지저분한 손으로 선생님을 함부로 만지면 안 되지."

세이지가 선수를 치며 입을 열었다. "이라부 선생님은 각 단체를 돌면서 젊은 조직원들에게 약의 해악에 관해 강연하시는 분이다. 그건 강연 때 쓰는 소품이고." 아무리 생각해도 궁색하기 이를 데 없는 변명이었다. 이라부는 태연한 모습이었다.

"……뭐, 그렇다 치자. 선생, 잠시 맡아두겠습니다." 요시야스가 주사기를 빼갔다.

"이봐, 이쪽도 몸수색을 해야 할 거 아냐." 세이지의 요구에 요시야스가 얼굴을 일그러뜨리며 날카로운 목소리로 말했다.

"이노, 니가 처한 입장을 아직 모르나본데. 싸움을 걸어온 건 네놈이야."

"까불지 마. 생트집을 잡은 건 그쪽이야. 입장은 피차일반이라구."

앞으로 걸어가 요시야스의 허리 언저리를 더듬었다. 아니나 다를까 바지춤에 단도가 꽂혀 있었다. 칼집에 꽂혀 있긴 했지만, 강철로 된 칼날을 떠올리는 순간 핏기가 싹 가셨다. 만에 하나 칼을 뽑는다면 이쪽은 끝장이다.

"어이, 이건 무슨 경우지. 교섭할 생각이 없는 거 같은데 그냥 돌아가란 뜻인가." 험악한 눈초리로 노려보았다.

"뽑지는 않아. 호신용일 뿐이다." 요시야스가 얼굴을 붉혔다.

"그건 말이 안 된다. 카운터에 맡겨라."

"안 뽑는다고 했지!"

요시야스가 조금 완강하게 거부했다. 확연히 느껴질 정도로 눈을 깜박거렸다.

"그렇다면 더 이상 이야기를 진행시킬 수 없다. 다음엔 나도 맨손으로 오진 않겠다. 오늘 증인은 이라부 선생님이시다." 그렇게 말하며 이라부를 향해 돌아섰다. "선생님, 돌아가시면 모두에게 잘 말씀해주십시오."

이라부가 제법 관록이 붙은 모습으로 고개를 끄덕였다. 잠깐 동안의 침묵. 요시야스가 거친 숨을 몰아쉬더니 일그러진 얼굴로 카운터에 단도를 올려놓았다. "이제 됐지." 가까스로 교섭이 시작되었다.

"그건 그렇고 해약 수속은 이미 끝난 거겠지?"라고 묻는 요시야스.

"서두를 것 없다. 일에는 순서가 있는 법이야." 세이지가 담배를 꺼내 불을 붙이고, 천장을 향해 천천히 연기를 토해냈다. "이것 봐, 내 여자는 평범한 술집여자야. 누님도 아니고 아무것도 아냐. 간혹 같이 생활하는 사람이 기오이 파 중간보스일 뿐이란 얘기지. 섬(야쿠자 사회의 속어, 세력권이란 뜻)이라고 하면 '어디 섬?'이라고 되묻는 여자다. 그런 여자가 그쪽 지역에 가게를 여는 건데 그게 무슨 조직 간 싸움이 되나?"

"그건 관리를 잘못한 탓이다. 네 불찰이야."

"불찰? 오호, 제법인데. 그럼 만약 네 여자가 우리 섬에 들어오면 붙잡아다 초절임을 만들어버릴까. 상관없나."

"말도 안 되는 억지 부리지 마시지. 해약을 할 건지 안 할 건지 물었다."

요시야스가 조급하게 눈을 깜박거렸다. 어느새 다리까지 떨고 있었다.

"조건에 달렸지." 세이지는 깊숙이 기대앉으며 다리를 꼬았다. "아마, 그 부동산업자라는 사람, 동생뻘 되는 사이까지는 아니겠지만, 네 입김이 닿긴 하겠지? 두 눈 빤히 뜨고 사례비니 수수료니 떼이는 건 이쪽도 그리 재미난 일이 아니지. 돌려받았으면 하는데."

"웃기는 소리 작작 해. 두세 번 땅값이 오른 후로는 조직과 관계 끊어진 지 오래야. 손해를 봐봤자 겨우 몇십만 엔일 거 아냐. 잃어버렸다고 생각해."

요시야스가 입술을 부르르 떨었다. 필사적으로 화를 참아내는 것처럼 보였다.

"이봐, 이노 씨." 그 순간, 이라부가 옆구리를 찔렀다.

세이지는 잔뜩 긴장했다. 분위기 파악 못 하는 인간아. 입 다물고 있으라니까~. 황급히 눈짓을 했다.

"금액 얘기가 아니다. 체면 문제지. 조직 생활을 하면 그 정도는 알 거 아닌가. 생각 좀 하고 살아야지. 네 머릿속에 뭐만 찬 거 아니냐?"

"함부로 깐죽거리는 게 아니지. 당장 해약하지 않으면 가게가 온통 총알받이가 될 줄 알아."

다리를 떠는 요시야스의 동작이 점점 더 격렬해졌다. 눈도 쉴 새 없이 깜박였다.

"오호, 재미있겠는데, 한번 해보지 그래. 안면 있는 강력계 형사들에게 유력한 정보라도 미리 흘려주게 말야."

"저어, 이노 씨." 또다시 부르는 이라부.

말없이 노려보았다. 부탁이야, 제발 입 좀 다물어. 당신 목소리는 어린애 같단 말이야~. 세이지는 속으로 외쳐댔다.

다시 앞을 쳐다봤다. 요시야스는 얼굴이 시뻘겋게 달아올라 있었다. 이마에 땀이 번지고 뭔가를 참아내는 듯 이를 악다문 모습이었다. 엇? 세이지는 그제야 제정신이 들었다. 이 자식, 어디 안 좋은 거야 뭐야?

"저 사람, 틱(얼굴·목·어깨 등에 급격하면서도 율동적으로 반복해서 일어나는 무의식적 행동) 증상이야." 이라부가 무사태평하게 말했다.

무슨 말인지 금방 이해할 수 없었다. "틱?"

"그래. 정신병 증상."

더는 참을 수 없다는 듯 요시야스가 자리를 박차고 일어섰다. "야, 너들. 잠깐 나가 있어!" 동생들에게 고함쳤다.

"어, 아니, 그래도……."

"괜찮으니까 나가 있어."

"형님, 정말 괜찮으시겠습니까?" 부하들이 불안한 표정으로 동정을 살피며 자리를 뜨지 않았다.

"빨리 나가라니까!" 눈에 핏발을 세우며 팔을 휘둘렀다.

부하 두 명이 몹시 난처해하면서 슬금슬금 밖으로 나갔다. 그 모습을 끝까지 확인한 요시야스는 카운터로 달려가 단도를 집어 들었다.

세이지는 온몸이 얼어붙었다. 순간적으로 의자를 들어 올려 다리 쪽을 막았다. 하지만 자세는 엉거주춤하다. 다리가 후들거리기 때문이다.

"야, 이 개새끼야. 너 처음부터 이럴 작정이었지." 목소리가 갈라졌다. "요시야스. 조직 싸움으로 번져도 상관없다 이건가." 목이 바짝바짝 타들어갔다. 이쯤에서 칼을 빼들면 자기는 틀림없이 줄행랑을 칠 것이다.

"넘겨짚지 마라." 요시야스가 단도를 바지에 찔러 넣었다. 카운터에 양손을 얹더니 천천히 호흡을 가다듬었다. "뽑지는 않아. 몇 번이나 말해야 알아들어."

요시야스는 바 의자에 걸터앉았다. 천장을 올려다보며 여러 번 심호흡을 했다.

어떻게 된 거야? 대체 무슨 일이야? 사태를 파악하기 어려웠다. 이라부를 쳐다보자 "저 사람, 블랭킷 증후군이야"라며 어깨를 들썩였다.

"블랭킷…… 증후군?"

"그래. 스누피 만화에 늘 담요 끌고 다니는 라이너스라는 남자애 나오지. 거기에서 생긴 명칭."

무슨 말인지 통 이해가 안 갔다. 못 박힌 듯 자리에 그대로 서 있었다. 일단 의자는 내려놓았다.

"라이너스는 담요가 손에 없으면 불안해서 견디질 못해. 없어지면 패닉 상태가 되거든. 다시 말해 담요가 마음을 안정시키는 근원이고, 일종의 의존증(依存症)이야. 저 사람 경우는 그게 비수인 거구."

세이지는 미간을 찌푸렸다. 에엥? 그럼 '비수·야스'라는 말이 그래서 생긴 거야?

"선생. 댁은 대체 누구십니까?" 요시야스가 나지막이 물었다.

"일단은 정신과 의사이긴 한데."

"의사~?" 목소리가 뒤집혔다.

"응." 이라부가 잇몸을 드러내며 싱긋 웃었다.

"이노. 네놈이 감쪽같이 속였단 말이지. 어느 정치단체 거물인 줄 알았잖아!"

"됐다. 예민해질 거 없어. 이야기나 마저 나누자."

자기도 모르게 어깨에 힘이 빠졌다. 풀이 죽어 겸연쩍기도 했다. 그렇긴 하지만, 어쨌거나 칼을 보지 않고 일을 끝낼 수 있게 되었다.

"우리도 요시야스 파와 일을 시끄럽게 만들고 싶진 않다. 솔직히 말하자면 여자가 계약한 순간 아차 하는 생각이 들었다. 하지만 뭐냐, 이쪽도 체면이란 게 있으니."

세이지는 널브러진 테이블과 의자를 정리하고 자리에 앉았다. 이라부는 이제 자기 역할은 다 끝났다고 생각했는지 선글라스를 머리 위로 올렸다.

"보증금과 사례금은 돌려다오. 이쪽은 폐를 끼친 대가로 부동산 수수료를 포기하지. 그쯤에서 어때?"

"……으음, 좋다." 요시야스가 순순히 받아들였다. 발톱을 감춘 요시야스는 의외로 순박한 얼굴이었다.

"위에다 보고했나?"

"아니."

"이쪽도 마찬가지다. 그러니 이 자리에서 끝내기로 하자."

"좋아, 알았다."

둘이 시선을 주고받았다. 어느 쪽이 먼저랄 것도 없이 쓴웃음을 지었다.

"볼썽사나운 꼴을 보이고 말았군" 이라고 말하는 요시야스. "도저히 컨트롤이 안 돼. 비수를 품지 않으면 밤에도 잠을 잘 수가 없어."

"안다, 알아!"

"검문이라도 당할라치면 섬뜩하다구."

"그럴 거야."

"……어, 내 말을 이해하네." 요시야스의 표정이 부드러워졌다. "너, 그런대로 꽤 괜찮은 놈인데."

"어? 피차일반이니까."

"피차일반?"

세이지는 혼자서 어깨를 흔들며 웃어댔다. "아니, 아무것도 아냐. 나 혼자 하는 얘기다."

"저, 요시야스 씨, 내일 우리 병원으로 와. 특효약이 있거든." 이라부가 끼어들었다. 생글생글 미소를 짓고 있다.

"있습니까, 그런 게. 그렇다면야……." 요시야스가 바짝 다가 앉았다.

"암, 가보면 좋지. 내 주치의는 명의(名醫)니까."

솟구쳐 오르는 웃음을 도저히 참을 수 없어, 세이지는 배를 움켜잡고 웃어젖혔다.

자기랑 같은 사람이 있다. 그 녀석 역시 고슴도치다. 증상은 정반대지만, 근본적으로는 같다.

"왜 그래, 뭐가 그리 우스워?"

요시야스가 불안한 표정으로 바라보았다. 세이지의 웃음은 한참 동안 멈추지 않았다.

집으로 돌아오니 가즈미가 바느질을 하고 있었다. 허겁지겁 바늘을 감춘다.

"괜찮아, 해도 돼." 세이지가 부드러운 목소리로 말했다.

"그거……."

"아마 괜찮을 거야. 자, 이리 꺼내봐."

얼굴을 들이대자 가즈미가 쭈뼛쭈뼛 바늘을 내밀었다.

스멀스멀 몸 안에 피가 돌기 시작했다. 완전히 아무렇지도 않은 건 아니지만, 두려워서 어쩔 줄 모를 정도는 아니었다. 이 공포증도 차차 사라질 거란 생각이 들었다.

"어머~, 아무렇지도 않잖아. 무슨 일 있었던 거야?"

"응? 실은……."

세이지는 그날 있었던 이야기를 들려주었다. 담판을 짓는 자리에 이라부와 동행했던 이야기, 그곳에서 정신병 증상이 있는 야쿠자를 만났던 이야기, 그것을 보고 나니 갑자기 마음이 가벼워졌다는 이야기……. 오랜만에 부부다운 대화를 나눴다.

"세이짱뿐이 아니었구나. 예민한 야쿠자 선생이."

"조폭이란 게 원래 그런 거야. 모두들 약한 부분이 있으니까 오히려 죽어라 뻗대는 거지."

"그럼 은퇴하는 건 아니구?" 가즈미가 얼굴을 바짝 들이댔다.

"야, 그렇게 간단한 게 아니야. 거둬준 은혜라는 게 있고."

"세이짱네 오야붕, 몇 살이지."

"여든이 넘었지."

"얼마 안 남았네. 은혜 끝나는 것도."

"너 정말……."

화를 낼 수 없었다. 가즈미가 키스를 했기 때문이다.

가즈미의 달콤한 향기가 코끝을 간질였다. 세이지의 마음속에는 이제 불안감이 하나도 없다.

몇 년 후, 자신은 평범한 쥐로 돌아갈지도 모른다. 헌데 그것도 나쁘진 않을 것 같은 생각이 든다.

공중그네

1

　지상 30미터 높이 점프대 위에 발끝으로 선 야마시타 고헤이 (山下公平)는 살며시 눈을 감고 심호흡을 했다.

　손에는 당목(撞木). 실은 쇠막대지만, 관례상 그렇게 부른다. 원래는 종을 치는 나무막대기를 가리키는 말이다.

　고헤이는 쥐고 있는 당목을 확인하고 눈을 부릅떴다. 그리고 정면에 보이는 둥근 종이장막을 응시한다. 공중그네 레퍼토리 중 하나인 '종이장막 찢기 비행'에 도전하려는 것이다.

　보조자 하루키가 고헤이의 어깨에 손을 얹고 타이밍을 쟀다. "하나, 둘, 셋!" 그는 여느 때처럼 고헤이의 귓가에 대고 카운터를 세다가 "고우~!"라고 외치며 어깨를 내리쳤다.

　고헤이는 발을 구르며 점프대를 박차고 나간다. 온몸에 바람이 부딪쳐온다. 공중에 커다란 포물선을 그리며 당목에 양다리를 건다. 두 번째 스윙에서 허공으로 몸을 날린다. 머리부터 종이막을 뚫고 들어간다. 창호지가 소리를 내며 찢어진다. 거꾸로 매달린 건장한 사내가 눈앞에 나타난다. 캐처 우치다.

　시선이 마주친다. 어, 이게 아닌데. 내 손을 보란 말야~.

　곧이어 두툼한 손이 고헤이의 팔목을 낚아챈다. 그러나 밴드를 감은 곳보다 훨씬 손목 쪽에 가깝다.

또 실수다. 요즘 들어 늘 이 모양이다. 제대로 팔을 붙잡아주지 않으면, 리턴할 때 높이가 안 맞는다. 관절에도 부담이 간다.

속으로 혀를 차면서 다시 공중에 포물선을 그린다. 관중석에서 환성과 박수소리가 울려 퍼진다. 체! 남의 속도 모르고……. 이번에는 관객에게 화풀이를 해댄다.

리턴할 때는 평상시보다 반동을 더 붙여 가까스로 당목을 붙잡을 수 있었다. 근육에 통증이 밀려왔다. 최고점에서 리턴하며 떨어지는 타이밍에 당목을 잡는 게 공중그네의 기본이다. 높낮이가 흐트러지면 연기 전체에 악영향이 미친다.

점프대로 되돌아왔다. 팔을 활짝 펼치고 박수를 받는다. "우치다 자식, 또 캐치미스였어." 억지 미소를 지으며 하루키에게 말한다.

"그랬어요? 잘 모르겠던데."

"앙심이라도 품은 거야 뭐야. 식은땀이 다 흐르네."

장내 사회자가 "다음은 눈가림 비행입니다"라고 안내방송을 했다. "와아~" 하는 환성이 터져 나왔다. 직접 눈가리개를 쓴다. 하루키가 뒤에서 천으로 이중 눈가리개를 둘러준다. 이제 조명 불빛조차 느낄 수 없다.

호흡을 가다듬고 정신을 모은다. 머릿속으로 연기 이미지를 떠올려본다. 깔끔한 그림이 그려진다. 좋아, 완벽해.

하루키가 카운터를 센다. 고헤이는 등을 두드리는 신호에 맞춰 점프했다. 첫 번째, 두 번째, 세 번째 비행에서 공중으로 솟구처 오른다. "하앗" 하는 소리를 신호로 팔을 앞으로 뻗으며 등을 곧게 편다. 우치다가 잡지 못했다. 눈 깜짝할 사이, 고헤이는 깊은 어둠 속으로 곤두박질쳤다.

다급하게 턱을 당겼다. 양팔을 감싸 안고 전신의 힘을 뺐다. "으앗~" 하는 관객의 탄식 소리를 들으며 안전그물 위에서 두세 번 튕겨 올랐다.

우치다 자식! 속으로 분통을 터뜨렸다. "다시 한 번 하겠쓰읍니~다!" 사회자의 밝은 목소리가 천막 안에 울려 퍼졌다.

감정을 억누르며 점프대로 올라갔다. "고헤이 씨, 괜찮아요. 신경 쓰지 마세요." 하루키가 밝은 목소리로 말한다. 고헤이는 "대체 뭐가 잘못된 거야"라며 퉁명스럽게 말을 받아친다.

"몸을 조금 더 펴야 할 것 같은데요."

"그럴 리가 없지. 몇 년째 하는 일인지 알기나 해?"

신일본(新日本) 서커스에 입단한 지 10년. 공중그네 플라이어가 된 지 7년. 최근 3년 동안 최고 자리를 지켜왔다. 다시 말해 리더다.

게다가 토박이다. 부모가 서커스 단원이라, 태어나면서부터 단체 생활을 했던 것이다.

두 번째 연기를 준비했다. 연이은 실수는 용서받지 못한다. 프로의 자존심 문제도 걸려 있다.

그런데도 고헤이는 '눈가림 비행'을 성공시키지 못했다. 이번에는 캐처 우치다의 손끝도 스치지 못한 채 네트에 떨어지고 말았다.

두 번째 실패는 태어나서 처음이었다. 밑에서 우치다를 매섭게 노려본다. 그네에 거꾸로 매달린 채 그도 이쪽을 노려보는 것 같았다. 분노로 얼굴이 뜨겁게 달아올랐다.

무대 감독 니바가 부조정실에서 NG 사인을 보냈는지 '눈가림 비행'은 그쯤에서 중단되었다. 사회자가 "입장료 돌려달라는 말은 말아주세요~"라며 관객을 웃겼다.

고헤이는 점프대로 돌아가지 않고, 무대 옆으로 들어갔다. 양기둥 사이에서는 그네 두 개를 동시에 이용하는 '시간차 비행' 묘기가 펼쳐지고 있었다. 젊은 플라이어가 갈채를 받는다.

수건으로 땀을 닦아냈다. 손가락 끝이 바르르 떨렸다. 도쿄 공연을 시작한 지 일주일, 그 동안 네트에 떨어진 게 벌써 다섯 번째다. 플라이어로서는 더할 수 없는 굴욕이다. 공중그네 연기가 모두 끝나자, 고헤이는 수건으로 주먹을 감쌌다. 아무리 동료라고 해도 더 이상은 용서할 수 없었기 때문이다.

연기를 마친 캐처 우치다를 악단실로 끌고 가서 잘못을 힐책했다.

우치다는 눈을 휘둥그레 떴다. 말해봐야 통하지 않는 것 같아 주먹을 한 방 날렸다.

황급히 달려든 단원들이 두 사람을 떼어놓았다. 고헤이는 이를 바드득 갈았다.

"말리지 마. 다들, 누구 편을 드는 거야."

목소리가 거칠어지고 감정이 점점 격해졌다.

단원들은 난처한 표정으로 고헤이를 바라보고 서 있었다.

이라부(伊良部) 종합병원 신경과는 말끔한 건물 지하 1층에 있었다. 접수처와 로비는 밝고 깨끗한데, 계단 아래쪽으로 내려갈수록 그와는 정반대로 어둠침침하고, 약품 냄새가 코를 찔렀다. 그 현격한 차이가 고헤이를 침울하게 만들었다. 고헤이가 병원 문을 두드리는 건 부상당했을 때 외에는 처음 있는 일이다.

공연이 끝난 후, 연기부 부장 니바가 사무실로 불렀다. 무대 감독을 겸하고 있는 직속상사다. 매섭게 꾸짖을 거라 예상했는데 부드럽게 타일렀다.

"고짱, 허리라도 아픈 거 아냐?"

"아아니, 전혀." 고개를 가로저었다.

"그럼, 지친 모양이군."

갓난아이 때 기저귀를 갈아주기도 했던 니바가 그렇게 말했다. 동료이자 아내인 에리도 동석했는데 '조금 쉬는 게 어때?' 하는 표정을 지었다.

그러고는 병원에 가보라고, 그것도 신경과에 가보라고 권유했다. 무슨 황당한 소리냐고 따지고 싶었지만 기력이 없었다. 우치다를 때리고 난 후, 지독한 자기혐오에 빠져 숨쉬기조차 힘들었다.

에리는 "잠 잘 자는 약이라도 받아 오면 좋잖아"라며 위로했다. 요즘 들어 제대로 잠을 자지 못한다. 아내도 알고 있었다고 생각하니, 왠지 거북살스러워 얼굴이 붉어졌다.

병원은 총무부 매니저가 일러주었다. 공연하는 동안 단원들의 생활 전반을 보살피는 게 매니저가 할 일이다. 공연장 근처에 있어서 추천한 것 같다.

크게 심호흡을 하고, 문을 두드렸다. 그러자 장소에 어울리잖게 명랑한 목소리가 "들어와요~"라고 대답했다. 가볍게 인사하며 안으로 들어갔다. 흰 가운을 입은 뚱뚱한 남자가 1인용 소파에 책상다리를 하고 앉아 있었다. 나이는…… 잘은 몰라도 자기보다 많은 건 확실하다는 생각이 들었다. 가슴에는 '의학박사 · 이라부 이치로'라는 명찰이 붙어 있었다.

"자아, 앉아요, 앉아." 자리에 앉으라고 재촉했다. 웬일인지, 환자용 의자 앞에는 주사대가 준비되어 있었고, 이라부가 그것을 톡톡 두드리고 있었다. 웬 주사? 고헤이는 미간을 찌푸렸다.

"저어…… 여기, 신경과 맞죠?"

"응, 그렇지." 이라부가 잇몸을 드러내며 씩 웃었다. "진료카드를 보니, 시즈오카에서 온 회사원이고 불면증이 있다고 되어 있군. 통원치료는 못 받을 거 같은데 그냥 주사나 큰 걸로 한 방 놔버릴까. 하하하."

"……네에?" 고헤이의 미간 주름이 더 깊이 파였다.

"어~이, 마유미짱!"

그 소리를 듣고 커튼 안쪽에서 상당히 육감적인 젊은 간호사가 모습을 드러냈다. 손에 든 트레이 위에는 핫도그만한 주사기가 올려져 있었다.

"저어, 설마 마취는……."

"아니, 그냥 비타민 주사. 거 뭐냐, 숙면에는 비타민 보충이 최고거든."

"그렇습……니까?"

의문을 가질 틈도 없이 왼쪽 팔에 고무줄이 칭칭 감겼다. 마유미라는 간호사가 주사기를 푹 찔렀다. "아야야야야!" 엉겁결에 소리를 질렀다. 간호사가 몸을 굽힌다. 가슴 사이 계곡이 한눈에 들어왔다. 달콤한 향수 냄새도 풍겼다. 언뜻 옆을 쳐다봤더니 상기된 얼굴의 이라부가 바늘이 뚫고 들어간 부위를 응시하고 있었다. 고헤이의 미간에 팬 주름이 1엔짜리 동전이 들어갈 만큼 깊어졌다.

도쿄 의사는 다 이런 건가? 자기의 상식 수준이 의심스러워졌다.

"출장길에 온 건가?" 다시 마주보고 앉으며 이라부가 물었다.

"아니, 이 근처에 장기 체류를 하고 있어서요……."

"장기 체류? 에이, 그럼 통원치료 받을 수 있는 거네. 괜히 큰주사 놔서 손해만 봤다."

이라부가 투덜투덜 혼잣말처럼 중얼거렸다. 주사대를 치운 간호사는 구석 벤치에 아무렇게나 드러눕더니 잡지를 펼쳐 들었다.

"어디 보자. 야마시타 고헤이 씨, 32세, 회사원……이라. 직장은?" 이라부가 진료카드를 손에 들고 물었다.

"……서커스 단원, 구체적으로 말하면 공중그네 비행을 합니다." 고헤이가 나지막이 대답했다.

"어쨌든 그것도 회사 조직이니까."

서커스단이 주식회사가 된 지금은 맹수 조련사도 피에로도 모두 회사원이다. 직업란에는 다들 그렇게 쓴다.

"서커스?" 이라부가 고개를 쳐들었다. "이름이 뭔데? 근처에서 하는 거야?" 케이크 앞에 앉은 어린애처럼 눈빛이 반짝거렸다. 남들이 희한하게 보는 태도에는 익숙해진 지 오래다.

"신일본 서커스입니다. 주오쵸 역 차량기지 철거 부지에서, 지난주부터."

"갈래, 갈래."

이라부가 몸을 앞으로 내밀며 어깨를 흔들어댄다. 고헤이는 예기치 못한 반응에 놀라 주춤했다.

"가자, 지금 당장 가자구." 이라부가 후끈 달아오른 얼굴로 자리를 박차고 일어섰다. 가운을 벗어던지고, 샌들을 고급스러워 보이는 가죽구두로 갈아 신었다. "서커스, 서커스, 신난다!" 콧노래까지 흥얼거렸다.

고헤이는 어안이 벙벙해져 그 모습을 멍하니 바라보며 서 있었다.

"저어, 오늘은 월요일이라 공연이 없습니다만." 고헤이가 조심조심 말을 꺼냈다.

"정말? 휴일이라구?"

이라부가 눈썹을 팔(八)자 모양으로 찡그리며 아쉬워했다. 그리고 소파에 쓰러지듯 주저앉으며 땅이 꺼져라 한숨을 내쉬었다.

"내일이라도 괜찮으시면 초대를 하지요." 너무 심하게 낙담하는 모습이 측은해 보여, 자기도 모르게 그만 그런 말을 해버렸다.

"정말?" 이라부가 다시 자리에서 벌떡 일어선다. "약속이야. 손가락 걸어, 손가락." 억지로 손가락까지 걸어야 했다.

"그럼, 내일부터는 왕진. 주사는 공짜로 놔주지."

"네에……?" 말문이 막혔다. 이 사람, 정말 의사 맞아?

진찰실 구석에 있는 간호사를 쳐다보았다. 전혀 관심이 없는 듯 담배를 피우고 있었다.

뭐, 아무럼 어때. 약 처방만 받으면 되지. 고헤이는 서둘러 돌아가야겠다고 생각했다.

"요즘 들어 잠이 안 올 때가 있어서 약 처방을 좀 받고 싶은데요."

"서커스를 보는 게 몇 년 만이야. 야아, 옛날 생각난다." 이라부가 눈을 가늘게 뜨며 말했다.

"너무 강하지 않아도 됩니다. 평상시에는 약을 거의 안 먹으니까."

"공중그네라면 서커스의 꽃이잖아."

"그리고 집사람이 위장약도 같이 처방해달라고 하던데요. 위장이 나빠지면 곤란하다면서."

"그럼 야마시타 씨는 어릴 때부터 훈련을 받은 건가?"

"선생님, 제 말 듣고 계세요?"

"응, 불면증이라면서."

"뭐, 그렇습니다만……."

"학교는 다녔나?"

"다녔죠. 대학도 나왔다구요."

고헤이는 슬슬 화가 치밀었다. 요즘에는 서커스단도 훌륭한 직장이고, 영업부나 총무부는 거의 다 대졸자들이다. 서커스단 하면 흔히 떠올리는 곡예사는 연기부라는 부서에 속하는데, 이들은 전체 사원의 절반도 채 안 된다. 시즈오카에 있는 본사는 자사 빌딩이고, 동물을 조련시키는 넓은 부지도 있다. 프로야구 구단과 마찬가지로 서커스도 대규모 흥행 비즈니스다.

"으음, 어떻게 서커스단에 취직하게 된 거야?"

"부모님이 단원이었어요. 처음엔 부모님과 같은 직업을 갖는 게 싫었는데, 막상 대학에 진학하고 취업 시기가 다가오니까 평범한 샐러리맨은 따분할 것 같은 생각이 들어서……."

"운동이 특기였어?"

"몸은 가벼웠어요. 유전이겠죠. 하지만 생판 아마추어가 연기부에 들어오는 일도 더러 있어요. 집사람도 줄타기나 쇼댄스를 하는데, 단기대학 가정과를 나온 사람이니까요."

"나도 할 수 있을까?"라고 묻는 이라부. "할 수 있죠." 농담
이라 여기고 예의상 빈말을 던졌다.

"중요한 건 훈련입니다. 지상 5센티미터 높이에서 건너는 평
균대를 지상 10미터에서도 건널 수 있느냐, 그게 일반 사람과
서커스 단원의 차이니까 넘어서야 할 건 기술이라기보다 오히
려 공포감이라고 해야겠죠."

"흐음, 그렇군."

이라부는 감탄을 연발했다. "이왕 할 바엔 역시 공중그네가
최고지"라고 혼잣말처럼 중얼거렸다.

"……저어, 약은."

"약? 무슨?"

역시 듣고 있지 않았단 거지……. 고헤이는 한숨을 내쉬고,
밤에 잠을 푹 자지 못한다고 호소했다. 내친 김에 요즘 들어 자
주 냉정함을 잃는다는 이야기도 했다. 남을 때리다니, 어른이
된 후로 처음 있는 일이었다.

"그럼, 수면제가 든 약을 처방하고, 계속 비타민 주사를 놓
지."

이라부가 빙그레 웃었다. 흔들흔들 떨리는 턱살이 동물 쇼에
등장하는 중앙아프리카에서 데려온 하마를 연상시켰다.

"공중그네라, 정말 기대된다."

이라부가 멀리 허공을 응시하며 마치 다음날 번지점프를 앞

둔 오스트레일리아 관광객처럼 말했다. 자기가 하겠다는 말이
야? 설마 그럴 리야 없겠지 싶어 아무 말도 묻지 않았다.

"자, 내일 만나."

이라부가 손을 들고 '바이바이'를 했다. 그 바람에 고헤이 역
시 자기도 모르게 똑같은 몸짓을 하고 말았다.

진찰실을 나와 1층 플로어로 올라간다. 통 유리창으로 쏟아
져 들어오는 눈부신 햇살을 보고서야 현실로 되돌아온 기분이
들었다. 꿈은 아니겠지, 하며 고헤이는 자기 볼을 꼬집었다.

하우스로 돌아오니 아내 에리가 세 살배기 아들 히로스케와
놀아주고 있었다. 하우스는 단원들이 공연지에서 기거하는 트
레일러하우스인데, 고헤이가 속한 서커스단에서는 줄여서 그렇
게 부른다. 대형 천막 뒤쪽에 여러 채가 설치되어 있다.

"점심, 데니즈에서 먹을까?"

아내의 말대로 하기로 했다. 휴일에는 집안일에서 해방시켜
주겠다고 오래전에 약속했었다.

1년 중 약 40주는 순회공연 생활이다. 하우스에는 부엌과 욕
실까지 모든 게 갖추어져 있다. 집이나 다름없다. 고헤이가 어
렸을 때는 이곳에서 자라고 학교도 다녔다. 그래서 기린이나 얼
룩말은 어느 집에나 있는 줄 알았다. 그리고 전학은 몇 번이나
다녔는지 기억할 수조차 없다. 대개 2개월 만에 겨우 사귀기 시
작한 친구들과 헤어져야만 했다. 그 대신 단원들 간의 결속력은

강해서 서커스단 아이들은 모두 형제자매나 마찬가지였다. 속마음을 터놓는 평생 친구였다.

그런데 요즘에는 서커스 무대의 속사정도 완전히 변했다. 일본 사회처럼 핵가족화된 것이다. 호텔이나 위클리 맨션에 사는 부부가 늘어났고, 아이가 생기면 혼자만 출장 오는 형식을 택한다. 젊은 단원들은 자가용을 몰고 다니고 외식을 즐긴다. 단장은 '사장'이 되고, 견습생은 '인턴'이라 불린다. 폭넓게 사원을 모집하기 때문에 고헤이 같은 순수 토박이는 극소수에 불과하다. 서커스 조직 전체가 현대화되었고, 그에 따라 개인주의화된 것이다.

특히 신일본 서커스는 이번 가을에 대대적인 조직 개편을 단행했다. 경영난에 시달리는 스턴트 팀을 산하로 들이면서 그 배우들을 단원으로 받아들였다.

모르는 얼굴이 갑작스레 늘어나면서 단 내부에 파벌 조짐까지 보였다.

"젊은 사람이 꼭 옛날 노인네 같다니까"라고 아내가 놀려대지만 고헤이는 그래도 가족적인 게 좋았다. 합리화가 꼭 좋다고는 생각하지 않는다.

"아버님한테 전화 왔었어. 히로스케가 보고 싶으시다고 다음 휴일에 다니러 오래." 에리가 말했다.

"안 돼. 당일치기가 얼마나 힘든데."

아버지와 어머니는 현장을 떠나 본사 총무부에서 일한다. 곰

조련사였던 아버지가 컴퓨터 앞에 앉아 있는 형국이니, 세상은 얼마든지 변할 수 있다.

가족 셋이서 집을 나섰다. 나일론시트로 만든 울타리 너머로 기린 린쨩이 태평스럽게 얼굴을 내밀고 있었다. 서커스단의 이런 풍경이, 고헤이는 너무 좋았다.

2

다음날 오전 아홉 시에 이라부가 나타났다. 경비 당번을 하는 젊은 단원이 "의사선생님이 주임님을 만나러 오셨습니다"라며 부르러 왔다.

"왕진인 것 같습니다. 간호사도 함께 왔어요."

정말 온 거야? 그것도 아침 댓바람부터.

"야마시타 씨~!" 나가보니 이라부가 출입구에서 손을 흔들고 있었다. 뒤에 노란색 포르셰가 서 있었다. "공연 전에 연습하지? 그럼 나도 좀 끼워줘." 사진을 찍어두고 싶을 만큼 신이 난 표정이었다. 나도 끼워달라니?

"그 전에 주사 먼저." 가방을 톡톡 두드린다. 고헤이는 어안이 벙벙할 뿐이었다.

양호실에서 주사를 맞았다. 동행한 간호사는 흰 가운이 아니라 표범 무늬 핫팬츠를 입고 왔다. 이라부는 저지 셔츠 차림이었다. 이해하기 힘든 2인조다.

아들 히로스케가 다가와 이라부와 나란히 서서 주삿바늘이 살을 찌르는 순간을 뚫어져라 쳐다봤다. "자, 다음 차례는 너야." 심각한 표정으로 말하는 간호사를 보더니 쏜살같이 도망쳤다.

쫓아 보낼 수도 없는 입장이라 천막으로 안내했다. 이라부에게는 바퀴 하나짜리 자전거를 주기로 마음먹었다. 그거라면 부상 걱정은 없다.

안에서는 인턴들이 공중그네를 연습하고 있었다. 갓 입단한 신인들이다. 그들은 장내 정리정돈이나 매점 일을 하면서 언젠가 한몫을 해내는 연기자가 되기를 꿈꾼다.

"천막이 정말 크네. 체육관 정도 되는 거 같은데." 이라부가 실내를 둘러보고 감탄을 내뱉었다.

"올해 새로 맞춘 겁니다. 기노시타 서커스나 기구레 같은 메이저에 조금이라도 따라가 볼까 하고……."

서커스 흥행 사업은 대부분 도태되었고, 현대화된 기업만 살아남았다. 신일본 서커스는 총 다섯 개 단체 중 다섯 번째다.

고헤이가 나타나자, 단원들이 인사했다. "으음" 하며 상사 티를 낸다.

언뜻 위를 올려다보니 중앙 그네에 캐처 우치다가 매달려 있다. 나이는 고헤이와 동갑이고, 본래는 스턴트맨이다. 처음에는 오토바이 곡예가 메인이었는데, 지난달부터는 공중그네도 담당하게 되었다. 우치다가 젊은 견습생들에게 연습 상대를 해주고 있는 듯했다.

꼴에 멋대로 흉내 내기는……. 고헤이는 속으로 중얼거렸다. 세력권을 침범당한 기분이었다.

하루 전에 있었던 사건 때문에 어색한 분위기가 감돌았다. "안녕하세요?" 고헤이가 먼저 인사를 건넸다. "안녕하십니까?" 우치다는 무표정한 얼굴로 대답했다.

"주임님, 함께 오신 분은 누구세요?" 젊은이 중 하나가 귀에 대고 물었다.

"아아, 이 근처 병원……."

거기까지 말하다 시선을 돌렸다. 이라부가 사다리 기둥을 올라가고 있었기 때문이다.

"선생님, 지금 뭐 하시는 겁니까!" 자기도 모르게 목소리가 거칠게 나왔다.

"역시 공중그네가 조케~써." 이라부가 말끝을 늘여 빼며 말했다.

"안 돼요. 떨어지면 어쩌려고."

"괜찮아, 괜찮아. 나, 이래봬도 몸은 가벼워."

헛소리 작작 하시지. 100킬로그램은 훌쩍 넘을 거 같은데.

알루미늄 재질로 된 사다리가 활처럼 휘었다. 삐걱삐걱 소리까지 났다. 모두 어리둥절해 있는 사이, 이라부는 점프대까지 올라가 버렸다. 위에 있던 인턴이 자리를 비켜주었다.

"우와아, 생각보다 훨씬 높은데."

당연하지. 빌딩 3층에 달하는 높이인데.

고헤이는 조바심이 났다. 어떻게 내려오게 하나. 초보자는 사다리로 내려오게 하는 게 가장 위험한 일이다.

"선생님, 그렇게 된 바엔 그냥 뛰어내려야 됩니다. 네트에 떨어질 때는 턱을 끌어당기고 온몸에 힘을 빼세요. 다리가 먼저 닿으면 안 되니까 엉덩이와 등으로 떨어져야 합니다. 그리고……."

이라부가 당목을 움켜쥐었다.

"이 멍청아, 그걸 주면 어떡해."

아직 십대인 인턴이 이라부가 시키는 대로 당목을 건네준 것이다. "어떤 타이밍에 날아야 돼?"라는 질문에 순순히 대답까지 해주고 있었다.

"어어, 멈춰요."

"자아, 간다~!"

이라부는 심각한 눈빛으로 전방을 응시하더니 거칠 것 없이 점프대를 박차고 나갔다.

"으악~~" 고헤이는 눈을 가렸다.

이라부는 당목에 매달린 채 커다란 포물선을 그리며 날았다. 캐처 우치다가 반사적으로 타이밍을 맞추려 들었다.

"이봐, 위험하니까 받지 마! 둘 다 떨어진다구!"

그러나 이라부는 다 날기도 전에 밑으로 곤두박질쳤다. 몸무게가 너무 나가서 팔로 지탱할 수가 없었던 것이다.

이라부가 네트 위로 튕겨져 올랐다. 다행히 엉덩이부터 떨어졌다. 거기가 가장 무겁기야 하겠지.

떨어지는 자세를 몰라 텀블링 묘기를 하듯이 여러 번 튕겨져 올랐다.

"우햐~" "힛헤~에" 괴성을 질러댔다.

인턴들은 마치 희귀한 동물을 대하는 듯한 눈빛으로 바라보며 누구 하나 입을 열지 못했다.

"야마시타 씨, 한 번 더."

"무슨 말 하는 거예요, 지금."

"아이, 뭐 어때서."

"안 된다니까요."

고헤이가 눈을 치켜뜨자 이라부는 장난꾸러기 아이처럼 입을 삐죽 내밀었다.

이라부는 오전 열한 시에 시작하는 첫 회 공연을 링사이드 좌석 맨 앞줄에 앉아 구경했다. 스탠드 쪽 자리가 관람하기 좋다고 권해도 "앞이 좋아!"라고 우기며 끝끝내 고집을 꺾지 않았다. 자동차 앞좌석에 타려고 떼를 쓰는 어린애나 다를 바 없었다.

관객을 무대로 불러내는 프로그램에서는 이라부가 맨 먼저 손을 들고 나와 피에로와 장난을 쳤다. 실은 관객 속에 미리 사람을 숨겨두고, 같은 단원끼리 할 예정이었다. 피에로는 잠깐 당혹스러워하는 듯했지만, 곧바로 호흡을 맞췄다. 공연을 마치고 들어오면서 "저 사람, 주임님이 심어둔 사람이에요?"라고 물었다. 지성이면 감천이랬나, 그 사람 서커스를 그렇게 좋아하더니 바라던 대로 되는가보다.

"그럼, 내일 또 봐요." 공연이 끝난 후, 이라부가 대기실로 찾아와 말했다. 또 온다구? 하마터면 그 말이 입 밖으로 튀어나올 뻔했다.

"선생님, 병원은 어쩌구요?"

"응, 괜찮아. 접수처에다 모두 내과로 돌리라고 말해뒀어."

아무 생각도 나지 않았다. 다시 뺨을 꼬집어봤다.

간호사는 공연하는 동안, 천막 뒤편에서 줄곧 우리 속에 갇힌 표범을 지켜보고 있었다. 에리가 "마음에 드는 모양이야"라고 전해주었다. 그 여자 역시 도통 속을 알 수 없는 인간이다.

계속해서 고헤이는 그날 쇼에서도 공중그네를 실패하고 말았다. 가장 기본적인 '다리 걸기 비행'에서 낙하한 것이다. 회전도 없이, 단순히 당목에 양다리를 걸고 스윙하다가 캐처 팔을 붙잡는 정도의 기술이었다.

물론 이번에도 우치다 탓이다. 시선이 마주쳤기 때문에 확실히 알 수 있다. 얼굴이 딱딱하게 굳어 있었다.

떨어지고 나서는 니바의 지시에 따라 보조 연기자로 교체했다. 주전 자리를 도맡았던 비행을 모두 보조자 하루키에게 넘겼다.

고헤이는 어떻게든 자신을 안정시키려 애썼다. 주임이라는 위치상, 더 이상 팀워크를 망가뜨리는 행위를 할 수는 없다. 반성도 해봤다. 자기 쪽에 원인이 있는 건 아닐까 하고. 그러나 도저히 짚이는 게 없었다. 이쪽은 늘 하던 대로 연기를 했기 때문이다.

시험 삼아 옛날 캐처였던 니바에게 연습 상대를 부탁해 여러 번 비행을 시도해봤다.

모두 성공이었다. 그러고 나니, 은근히 부아가 치밀기 시작했다. 일부러 하는 짓이라고밖에 생각할 수 없었다.

"캐처, 다른 사람으로 바꿔줄 수 없어요?" 고헤이가 니바에게 단도직입적으로 요구했다.

"그건 안 되지. 이제 겨우 정규 멤버가 됐는데."

니바는 일언지하에 거절했다. 야구 캐처와 마찬가지로 받는 사람은 '아내 역할'이라고도 불린다. 연기의 열쇠를 쥐고 있는 포지션인 것이다.

"그럼, 나 할 때만이라도 바꿔줘요."

"고짱, 부탁이야. 안 된다는 거 뻔히 알면서 왜 이래. 연기 도중에 교대하면 쇼가 맥이 끊기잖아."

"그사이, 피에로 쇼 같은 걸 끼워 넣으면 되죠. '장막 찢기' '눈가림 비행'은 클라이맥스니까 조금 뜸을 들여도 되잖아요."

니바는 책상에 팔꿈치를 괴고 골똘히 생각에 잠겼다.

"고짱, 요즘 왜 그래. 전에는 솔선해서 팀을 이끌던 리더가 왜 자꾸 평화를 깨뜨리는 행동을 하는 거야."

"말이 심하시네요. 깨뜨리긴 누가 깨뜨린다는 겁니까." 발끈해서 말을 받아쳤다. "그리고 팀을 이끄는 것도 그렇죠. 요즘엔 일 끝나자마자 모두 뿔뿔이 흩어져버리지 않습니까."

"그거야, 다섯 시 이후에는 개인 자유니 어쩔 수 없지."

"우치다도 하우스 근처에는 얼씬도 안 해요."

"우치다는 본래 도쿄 사람이잖아. 도쿄에서 공연하는 동안은 자기 집에서 다니는 게 당연하고."

"그럼 젊은 친구들만이라도 하우스에 합숙시키든가."

"그것도 개인 자유야. 공연이 2개월이나 걸리니까 혼자 있을 시간도 필요할 테고."

"옛날엔 이렇지 않았는데." 고헤이가 의자에 기대앉아 기지개를 폈다.

"또 노인네 같은 소리 한다."

"아이 딸린 것도 우리뿐이고."

"시대가 변했어. 그 정도는 알 거 아냐. 설비나 후생복지도 우리가 가장 뒤떨어졌어. 조직개편을 해서라도 메이저를 따라가야 해. 게다가 앞으로는 외부 인력 계약도 늘어날 거고, 그렇게 되면 외국 사람도 받아야 할 테지. 다시 말해서 고지식한 사고로는 한계가 있단 말이야."

"고지식한 사고라." 자조적인 어투로 말했다.

"고짱은 연기부 차기 부장감이니 좀 더 깊이 생각해야지. 우치다 군과도 자리를 한번 만들어서 어제 일도 충분히 사과하고……."

고헤이는 말없이 인상을 찌푸렸다.

"그건 그렇고, 의사한테 상담은 받았나?"

"네, 잠 잘 자는 약은 지어 왔는데요."

"아니, 그게……." 니바는 뭔가 말을 꺼리는 듯 보였다. "카운슬링 같은 건 받아본 거야?"

"카운슬링? 무슨?"

니바가 골똘히 생각에 잠긴 듯한 표정을 지었다. "아니, 아무것도 아냐." 애매하게 말끝을 흐리며 이야기를 매듭지었다.

고헤이는 어깨를 들썩이고는 사무실을 나왔다. 석양빛을 받은 텐트가 오렌지색으로 곱게 물들어 있었다. 그 옆에서 린짱이 한가로이 건초를 씹고 있었다.

하루키가 종종걸음을 치며 지나가는 모습이 눈에 띄었다. "어이, 하루키, 우리 집에서 저녁이나 하지, 어때?" 고헤이가 말을 걸었다.

"죄송합니다. 선약이 좀 있어서."

순간 경직된 표정으로 하루키가 손사래를 쳤다. 왜 그런지 데면데면한 태도였다.

고헤이는 수상쩍어하며 하루키의 등 뒤로 시선을 좇았다. 주차장에 우치다의 왜건이 서 있었다. 하루키가 차에 올라탔다.

안에는 이미 서너 명이 타고 있었다. 스턴트 팀에서 온 젊은 단원들이었다.

고헤이는 곧바로 상황을 파악했다. 우치다가 저녁식사를 하자고 한 것이다. 아니면 집으로 초대해 아내가 만든 요리를 대접할지도 모를 일이다.

적지 않은 충격이었다. 자기는 초대받지 못한 것이다.

"내가 무슨 잘못이라도 했나?" 린짱에게 물었다.

린짱은 고헤이 쪽을 슬쩍 한번 쳐다보더니 요란하게 트림을 하고, 다시 먹는 일에 몰두했다.

이라부는 정말로 다음날에도 나타났다. 샤넬 상하 저지를 입고 있었다. 그런 게 실제로 있는지는 모르겠지만.

먼저 주사부터 놓았다. 비타민 주사는 매일 맞아야 효과가 나타난다는 이라부의 말을 따를 수밖에 없었다.

아들 히로스케가 무척 신기해하며 이라부 옆에 나란히 붙어서서 뚫어져라 지켜보고 있었다. 하지만 끝나자마자 줄행랑을 쳤다. 간호사가 도저히 장난처럼 보이지 않는 표정을 지으며 주사기를 손에 들고 다가갔기 때문이다.

"어젯밤 생각해봤는데 공중그네는 기술보다는 콤비네이션이야. 혼자서 하는 공중 아크로바틱 쇼 같은 거랑 비교하면 기술 난이도는 그렇게 높은 건 아니니까."

연습을 지켜보면서 이라부가 태평스럽게 말한다. 완전 또라이는 아닌 모양이다. 분명 공중그네는 서커스의 꽃이긴 하지만, 익히는 데 시간이 더 드는 건 아크로바틱이나 균형 감각이 필요한 솔로 연기다.

"어제는 손이 미끄러졌지만, 오늘은 송진을 제대로 발라야지."

고헤이가 살짝 들여다본다. "……선생님, 다시 하신다는 거예요?"

"응, 도중에 포기하는 건 나쁘잖아."

말이 채 끝나기도 전에 이라부가 사다리를 오르기 시작했다. "잠깐……." 앞으로 내민 고헤이의 손이 허공을 헤맨다.

하는 수 없이 안전그물을 치기로 했다. 어디에 떨어지든 부상만은 피할 수 있다.

고헤이도 점프대로 올라갔다. 내가 왜 이런 상대를 해주나 하는 생각이 들었지만, 자신도 영문을 알 수 없었다. 비록 이라부가 비상식적이기는 하지만, 저항할 마음도 생기지 않았다. 구경하고 싶게 만들기 때문이다.

"선생님, 거꾸로 오르기는 할 수 있어요?" 고헤이가 물었다.

"아니, 못 해."

당연하겠지. 입속으로 중얼거렸다. 그런 거구로는 그냥 매달리기도 힘들 테니까.

"보통은 양발을 철봉에 걸고 거꾸로 매달려서 날아 옮겨가는데, 선생님은 손으로 잡고 매달려도 됩니다. 날려고 애쓸 필요 없어요. 시계추처럼 몇 번 스윙하다가 다시 돌아오세요."

"에이, 날아서 이동하는 거 없이?"

"무리죠, 처음부터는."

불만스러워하는 이라부에게 당목을 건넸다. "된 거야?"라는 질문에 "네" 하고 대답하자, 이라부는 아무런 망설임도 없이 곧바로 점프대를 차고 나갔다.

"얏호~!" 이라부가 천진난만하게 스윙을 했다.

고헤이는 허를 찔린 기분이었다. 예전에 번지점프 이벤트를 주최한 적이 있는데, 열이면 열, 좀처럼 뛰어내리질 못했다. "뛰어내려도 돼요?"라고 짜증이 날 만큼 되묻곤 했다. 이라부에게는 그런 면이 없다.

이 얼마나 결단력 있는 사람인가. 대개는 주저하게 마련이다.

이라부는 세 번 스윙을 하고 점프대로 돌아왔다.

이것 역시 고헤이에게는 놀라운 일이었다. 초보자들은 거의 주눅이 들기 때문에 진동 폭이 좁아져서 원래 자리로 돌아오지 못하는 경우가 많다. 이라부는 체중 과다, 완력 부족 같은 핸디캡을 과감한 결단력으로 극복해낸 것이다.

"응, 응, 날아서 이동하는 것도 시켜주라."

"아니, 그건……." 고헤이는 말문이 막혀 우물거렸다. 그렇지만 보고 싶은 마음도 생겼다.

중앙에 있는 우치다에게 물어보았다. "몇 킬로그램까지 받을 수 있나?"

"글쎄, 플라이어는 대개 60킬로그램 전후니까, 그 이상 해본 적은 없는데."

"선생님, 몇 킬로그램이죠?"

"70킬로그램 정도 될라나."

턱살을 흔들며 뻔뻔스러운 소리를 한다. 못 들은 체했다.

"괜찮아요. 한번 해보죠."

우치다가 그렇게 말하니 일단 시도해보기로 했다. 어느새 단원들 거의가 구경을 하러 몰려들었다.

"선생님, 가장 높은 지점에 다다르면 반동을 붙이지 말고 그대로 낙하해야 합니다. 앞으로 손을 뻗으면 캐처가 붙잡아줄 겁니다."

"응, 알았어." 시원스럽게 대답한다.

타이밍을 재다가 이라부의 등을 밀었다. 스르르 밀리면서 멀어져갔다. 불필요한 힘은 전혀 느껴지지 않았다. 멋지게 포물선을 그린다.

어쩌면 저 사람, 보통내기가 아닐지도……. 고헤이는 눈을 휘둥그레 떴다.

그러나 과대평가였다. 이라부는 당목을 놓는 타이밍을 놓친 탓에 우치다의 손 근처에조차 미치지 못하고 말았다.

"어머머~!" 이라부는 사극에 나오는 처녀 같은 소리를 내지르며 네트로 떨어졌다. 한동안 고무공처럼 이리저리 튕겨 올랐다.

그런데도 갤러리들 사이에선 술렁임과 웃음소리가 터져 나왔다. 워낙 체격이 있다 보니 실수를 해도 그림이 나온다.

"특이한 초보자군." 아래로 내려오자 니바가 감상을 토로했다. "긴장이나 공포감 같은 건 아예 잊고 사는 느낌이야."

그 말을 듣고서야 조금은 이라부를 이해할 수 있을 것 같았다.

아기가 뱀을 무서워하지 않는 이유는 용기가 있어서가 아니라 그게 뭔지 모르기 때문이다. 이라부도 틀림없이 똑같을 것이다. 아무 생각이 없는 거다.

"성공하면 정식 공연에도 나가게 해줘." 이라부가 빙긋이 웃는다. 있을 수 없는 일은 아니라는 생각이 들었다. 이 남자라면 아크로바틱 같은 거 없이 평범한 공중 이동만 해도 충분한 구경거리가 될 터였다.

이라부는 줄타기에도 도전해봤지만, 그쪽엔 전혀 소질이 없었다. 평형감각이라는 게 근본적으로 결여되어 있음이 판명되었다. 5센티미터도 나아가지 못하고, 연이어 가랑이부터 떨어지며 공중제비를 넘었다.

"저 사람, 멘탈과 피지컬 성능이 극과 극이로군……."

니바가 뺨을 문지르며 중얼거렸다.

그날 고헤이는 공중그네를 쉬었다. 니바의 명령이었다. 더 이상 체면을 깎을 수는 없어서 시키는 대로 말없이 따랐다.

그 대신 솔로 의자 곡예를 프로그램에 새로 넣고, 연기를 맡았다. 통나무에 널빤지를 올리고, 그 위에 나무의자 일곱 개를 쌓아 올린 다음, 꼭대기에서 물구나무를 서는 고난도 곡예였다.

홀륭하게 성공시켜 우레와 같은 박수갈채를 받았다. "역시 대단하시네요"라는 하루키의 말에 기분이 좋아졌다.

여전히 자신은 연기부 에이스다. 이 자리를 남에게 넘겨줄 수는 없다.

저녁에 고헤이는 젊은 단원들이 단체로 빌려서 생활하는 위클리 맨션을 방문했다. 에리에게 음식을 만들어달라고 해서 캔맥주와 함께 들고 갔다. 이번 기회에 새로 들어온 젊은이들과도 가깝게 지내야겠다고 생각했다. 자기가 서커스단에서 자란 토박이 고참인지라 어쩌면 다가서기 힘든 존재인지도 모른다.

갑작스런 상사의 방문에 젊은이들은 무척 놀란 모습이었다. 어질러진 방을 황급히 정리하려고 우왕좌왕했다. "괜찮아, 괜찮아." 고헤이는 미소 띤 얼굴로 말리며 방바닥에 책상다리를 하고 앉았다.

새삼스레 다시 찬찬히 뜯어보니 모두 앳된 얼굴이었다. 십대도 섞여 있었기 때문이다.

"일은 좀 익숙해졌는지 모르겠군." 젊은이들을 둘러보며 말했다. "뭐든 모르는 게 있으면 어려워 말고 물어보고 그래."

"네에." "알겠습니다." 고분고분 대답들을 했다.

왠지 모르게 어색했다. 본래 자기 말투는 딱딱하다.

"우리 집사람이 만든 음식인데, 먹어들 봐. 저녁은 벌써 먹었나? 젊으니까 얼마든지 들어갈 거 아냐."

점점 노인네 같은 소리를 한다. 젊은 친구들은 잔뜩 긴장해 있었다. 이런, 좀 부드러운 화제를 꺼내야 할 텐데…….

"다들, 여자친구는 있나?"

말이 채 끝나기도 전에 후회가 됐다. 완전 노인네 같은 대화다. 그것도 느닷없이 불쑥.

"우리들이 젊었을 때는 가는 곳마다 이게 있었거든."

엉겁결에 새끼손가락을 들어 올리고는 이내 얼굴이 붉어졌다. 이게 아니야. 허물없는 사이가 되기는커녕 오히려 모두들 한발 뒤로 물러섰다.

침묵이 흘렀다. 텔레비전의 음악 방송만 저 혼자 화려한 음악을 토해냈다.

"자네들도 우치다 씨 집에 초대받았었나?" 도대체 왜 이따위 질문만 하는 거지…….

"아, 아니, 뭐냐. 그 사람이 젊은 친구들에게 인기가 많은 거 같아서." 식은땀이 흘렀다.

"……네에, 한번 놀러가긴 했습니다."

한 친구가 경계하는 듯한 모습으로 대답했다. 그 눈빛을 보니 점점 더 어색해졌다.

"그 친구, 사람 좋지. 캐처로는 아직 제몫을 못하지만. 공중 그네에서 받는 역할은 말야, 무슨 일이 있어도 반드시 잡아내야 한다는 의지가 없으면 안 되는 포지션이거든. 떨어뜨리면 모두 내 탓이다. 그 정도 책임감 없이는 할 수 없다고 해야 할까, 해서는 안 된다고 해야 할까……."

왜 자꾸 이렇게 꼬이는 거지. 남 험담을 할 생각은 없었는데. 이건 그야말로 신참 험담을 늘어놓으려고 찾아온 아니꼬운 고참 상사 꼴이다.

젊은 단원들은 대답할 말을 찾지 못해 고개를 숙이고 있었다. 고헤이는 침묵이 두려워 줄곧 혼자 떠들어댔다. 서커스 단원의 정신상태 같은 것까지 설교를 늘어놓고 말았다.

30분 만에 도망치듯 나왔다. 돌아가는 길에 격렬한 자기혐오에 빠졌다.

그들은 지금쯤, 뒷말을 하고 있을 게 뻔하다. "그 사람, 대체 왜 그래?"라고.

그런 생각이 들자 비명을 내지르고 싶어졌다. 내 집이라 여겼던 서커스단에서 겉도는 존재가 되는 순간이었다.

3

이라부는 완전히 공연 연습 시간의 특별 견습생이 되어버렸다. 날마다 포르셰를 타고 온다.

아무리 의사라는 지위가 있다고 해도, 이건 분명 상식에 벗어나는 일이다. 사고가 일어날 경우를 고려하면, 연습에 외부인을 참가시키는 것은 있을 수 없는 일이다. 전례도 없었다. 그런데도 현장 책임자 니바는 그저 미소를 지으며 바라볼 뿐이다.

"하하하, 최고야, 최고. 고짱 주치의!"

어느새 고헤이 주치의라고 부르고들 있다.

주위에서도 그다지 이상하게 보지 않았다. 이라부를 전부터 있던 사람처럼 대했다. 개중에는 새로 입단한 피에로인 줄 아는 인턴이 있을 정도였다.

그리고 간호사는 그사이, 표범 우리 앞에서 담배를 피우며 싫증도 안 내고 표범을 지켜본다.

"이제 조금만 더 하면 나도 플라이어가 될 수 있겠다."

이젠 낙하까지 완전히 익힌 이라부가 싱글벙글하며 좋아라 했다. 터무니없는 말은 아니었다. 정면으로 똑바로 스윙하다 그네를 이동하는 정도의 기본기는 조금만 더 하면 성공할 수 있을 것 같았다.

물론 보통사람이라면 놀랄 일도 아니다. 배짱 있는 연예인은 사흘 정도 훈련하면 신년 장기자랑 대회에 나갈 수 있는 정도의 기술이다. 그러나 이라부는 사정이 달랐다. 곰이 유모차를 끌면 그것만으로도 구경꾼이 모여들듯이, 그 자체로 그림이 되는 것이다.

캐처 우치다도 호의적인 태도를 보였다. "불필요한 힘이 전혀 없어요"라며 놀라움을 감추지 않았다. 그 말을 들은 니바가 설명을 덧붙였다.

"물에 빠진 사람을 구할 때도 붙들고 늘어지면 같이 죽잖아. 이라부 선생은 그렇질 않으니까 구해내기가 편하지. 패닉에 빠지지 않는 사람이야. 능력이라기보다는 특이체질이라고 봐야겠지."

"에헤헤헤." 이라부는 그다지 싫지 않은 표정으로 머리를 긁적였다. 칭찬으로 들은 모양이다.

이라부가 연습하는 모습을 보고 있으니 고헤이는 자기도 해보고 싶은 마음이 생겼다. 니바와 후배들이 보는 앞이라면 우치다도 딴마음을 품지 못할 것이다. 우치다는 정식 공연을 하는 북새통을 이용해 음흉한 짓을 하는 것이다.

"자, 제가 시범을 한번 보여드리죠." 그렇게 말하며 점프대로 올라갔다.

손목의 긴장을 풀고 당목을 잡았다. 발판을 구르고 스윙을 시작했다.

하나, 둘, 포물선을 그리며 중앙에 매달린 우치다를 쳐다보았다. 타이밍을 확인하고, 양발을 걸면서 거꾸로 매달리는 자세로 바꿨다. 이젠 날아서 이동만 하면 된다.

그네가 떨어져나가는 순간, 발을 빼냈다. 고개를 쳐든다. 소스라치게 놀란다.

거리가 턱없이 모자랐다.

우치다가 내민 손은 50센티미터나 떨어져 있었다.

고헤이의 손이 허공을 휘저으며 거꾸로 곤두박질쳤다. 급히 몸을 비틀어 등 쪽부터 네트에 닿았다. 착지가 좋지 않아 두세 번 튕겨 올랐다. 기가 막혀 우치다를 올려다봤다. 우치다는 거꾸로 매달린 채 굳은 표정으로 고헤이를 내려다보고 있었다.

현기증이 느껴질 만큼 피가 끓어올랐다. 이보다 더한 치욕은 없을 것 같았다. 단원들이 지켜보는 앞에서 수모를 당한 것이다.

굳은 얼굴로 네트에서 내려왔다. 체면이 땅에 떨어지고 말았다. 도저히 아무 말 없이 끝낼 수는 없는 일이다……

니바와 눈이 마주쳤다. 난처해하는 듯한, 동정하는 듯한, 당혹스러워하는 듯한 시선이 느껴졌다.

같이 화를 내는 게 아니고? 팀에서 우치다를 빼버려야 되는 거 아냐?

이어 하루키를 쳐다보았다. 새파랗게 질린 얼굴로 재빨리 시선을 피했다. 고헤이는 이해할 수 없다는 표정으로 주위를 둘러보았다.

그제야 정신을 차리고 보니 모두들 침묵을 지키고 있었다. 젊은 단원들은 누구 하나 고헤이와 눈을 마주치려 들지 않았다. 동정하는 분위기가 감돌았다.

온몸이 싸늘하게 굳었다. 어떻게 된 거지? 도대체 영문을 모를 일이다. 이유가 뭔지 생각해보려 해도 머리가 돌아가질 않았다.

"쯧쯧쯔~." 이라부가 외국인처럼 검지를 들고 흔들어댔다. "야마시타 씨, 허리가 뒤로 빠지잖아. 내가 시범을 보여주지."

무슨 소릴 지껄이는 거야. 감히 초보자 주제에.

"엇, 화났어? 농담이야, 농담. 아하하하."

"잠깐 화장실 좀……." 속이 훤히 들여다보이는 핑계를 대며 고헤이는 도망치듯 그 자리를 벗어났다. 이마에 홍건히 땀이 배어 있었다.

린짱이 사는 우리 안으로 들어가 건초더미 위에 앉았다. 손으로 얼굴을 비벼댔다. 마음을 진정시키고 싶었다.

모두가 날 따돌리는 건가……. 의문이 밀려왔다. 사람이 늘어나면서 연기부는 갑작스레 평균연령이 낮아졌다. 서른두 살의 플라이어는 더 이상 젊은 축에 들지 않는다. 일선에서 물러나 달라는 뜻일까.

그럴 리가 없다, 만약 그렇다면 니바가 분명하게 말해줄 것이다. 그렇게 겉 다르고 속 다른 사람은 아니다.

그게 아니라면, 우치다가 뭔가 획책을 꾸미고 있는 걸까. 젊은이들을 자기편으로 끌어들여 차기 무대감독 자리를 노린다……. 얼토당토않은 이야기다. 고개를 흔들었다. 고작 이런 조그만 서커스단에서.

그렇담 뭐지? 도대체 무슨 꿍꿍이속이 감춰져 있을까?

고헤이는 땅이 꺼져라 한숨을 내쉬었다. 머릿속만 복잡하지 도무지 정리가 되지 않았다.

단 하나 분명한 사실은 우치다가 노골적으로 거부 반응을 보여도, 그에 대해 주위에서 아무 말도 하지 않는다는 것이다.

"우햐~!"

텐트 안에서 이라부의 간드러지는 괴성이 들려왔다. 현장에는 그새 긴장감이 풀어졌는지 단원들 웃음소리도 들렸다.

대체 어떻게 생겨먹은 인간인가, 저 사내는. 남의 기분 같은 건 아랑곳하지 않는다. 생판 몰랐던 사람이 어떻게 여기까지 들어올 수 있단 말인가. 남을 어려워하는 마음은 손톱만큼도 없는 것일까.

린짱이 고개를 숙이며 입에 문 건초를 고헤이의 머리 위에 뿌렸다.

"무슨 짓이야, 이 자식." 팔로 목을 잡아 옆구리에 끼고 머리를 쥐어박았다. 저항하는 기색도 없이 오물오물 입을 움직인다. 이제 아홉 살이 되는 린짱은 키가 2미터였을 때부터 함께 지냈다. 오직 기린만 자기 친구 같은 기분이 들었다.

고헤이는 그날 공연에선 공중그네에 출연했다. 이젠 오기가 났다. 해볼 테면 해봐라 하는 심정이었다. 니바는 곤혹스러운 표정으로 "관객 생각도 해야지"라고 힘없이 말했을 뿐이다.

역시나 실패했다. 연습 때처럼 50센티미터나 간격이 벌어졌던 것이다. 적잖은 충격을 받고 도중에 퇴장하면서 고헤이는 퍼뜩 생각이 떠올랐다. 캐처가 매달리는 중앙 그네가 본래 위치보다 먼 곳에 세팅된 건 아닐까.

서커스 천막 천장에는 그네나 안전그물을 거는 구조물이 있다. 거기 있는 사람이 고헤이가 연기할 때만 중앙 그네를 멀리 이동시키는 건 아닐까.

손으로 조명 빛을 가리며 올려다보니, 위에 있는 사람은 우치다와 함께 입사한 스턴트맨들이었다.

모든 의문이 한꺼번에 풀렸다. 외부에서 들어온 세력의 음모다. 자신을 현장에서 내쫓으려는 것이다.

곧바로 니바에게 그 이야기를 하자, "고짱, 지금 제정신이야?"라며 얼굴을 들여다본다.

"쇼가 진행되는 도중에 어떻게 그런 일이 있을 수 있겠어. 캐처를 태운 채로 그네 위치를 바꾼다는 게 가능하기나 해."

"아니, 그놈들이라면 그러고도 남아요."

"그만 됐어. 업무 명령이야. 고짱은 한동안 공중그네 팀에서 빠져."

"헉, 그게 바로 우치다 놈들이 바라는 거라구요. 이건 억지를 써서라도……."

"고짱……." 난데없이 니바가 어깨를 끌어안았다. 그리고 팔을 부드럽게 어루만졌다.

저녁식사를 마치고 나서 에리가 휴가를 내자고 제안했다.

"당장 이번 주말에라도 우리 셋이 하와이나 갈까? 히로스케 태어난 뒤로 여행간 적 한 번도 없잖아. 니바 씨에게 물어보니까 일주일 정도는 쉬어도 괜찮대."

에리가 싱크대에서 그릇을 헹구며 말했다. 밝은 목소리였다.

"말이 되는 소릴 해. 공연 중인데 어떻게 우리만 쉬겠다는 거야."

"사람도 늘어났고, 앞으로는 공연 중에도 교대로 휴가를 쓸 수 있게 한대. 주임인 당신이 제일 먼저 쉬면 젊은 사람들도 쉬기 편할 거 아냐."

"그런 말이 있었군. 어쨌든 지금은 쉬고 싶지 않아."

"어째서?"

고헤이는 그 말에 대답하지 않고 신문을 펼쳤다. 자기가 없어지고 나면 우치다가 리더 역을 맡게 될 것이다. 하루키를 비롯한 토박이 출신들까지 구스를 가능성이 높다.

"아, 하와이 가고 싶다." 에리가 애교 섞인 목소리로 말했다.

"당신, 우치다 어떻게 생각해?" 고헤이가 물었다.

"우치다? 괜찮은 사람 아닌가. 말은 없지만 늘 열심히 노력하고."

"괜찮은 사람?" 기분이 상했다. "당신, 내가 몇 번씩 떨어지는 거 보고도 그래? 그건 아무리 생각해봐도 고의적인 거라구."

"……고짱, 내 생각 얘기해도 될까?" 에리가 신문을 낚아채더니 한쪽으로 치웠다. 테이블 맞은편에 앉는다. "타인에게 좀 더 오픈하는 게 좋을 것 같아."

"무슨 소리야."

"전부터 느낀 건데 경계심이 지나치게 강해. 남을 늘 관찰하려 드는 점도 있고."

"이봐, 의심만 하는 사람처럼 말하지 마. 신중한 것뿐이야. 그리고 친해지면 의리도 있고 인정도 많잖아."

"그야 물론, 깊이 사귀는 것도 중요하긴 하지. 하지만 지금은 사회가 점점 커지는 시대니까 뭐든 받아들이는 넓은 마음도 필요할 것 같아……."

"내가 마음이 좁다는 뜻이야?" 고헤이는 부루퉁하게 물었다.

"그렇잖아. 이라부 선생님처럼 숨김없이 활짝 여는 성격이면 얼마나 좋아, 그런 말이 하고 싶었어."

"이라부? 난데없이 그 정신과 의사 이름은 왜 꺼내."

"나도 모르게 그냥 떠올랐어."

고헤이의 머릿속에도 이라부의 얼굴이 떠올랐다. 흔들흔들 떨리는 턱살도.

"그 의사, 이상한 사람이야. 멀쩡한 사람이 병원은 죄다 내팽개치고 서커스 견습생으로 들어오겠어?"

"이상하긴 해도 사람들이 좋아하잖아. 모두들 이라부 선생님이 오는 걸 반가워하고."

"재미있어하는 것뿐이야. 별종이잖아."

"그래도 치유사 같은 느낌이랄까……."

"치유사? 그 풍선같이 생긴 사람이? 그게 아니라 그런 희한한 놈도 살아갈 수 있으니 세상은 아직 살 만한 곳이다, 그런 안심이 되는 거겠지."

"뭐, 그러면 또 어때. 주위 사람을 편하게 해주는 성격이 소중한 거지."

"듣기 싫어. 난 어쨌든 안 쉬어."

의자에 깊숙이 들어앉으며 괜스레 허공에 대고 발길질을 했다. 에리는 불만스러운 듯 입을 삐죽거렸다.

"흠, 이봐." 고헤이가 담배에 불을 붙이며 물었다. "……혹시 현장에 날 내쫓으려 한다는 소문이라도 도는 거야?"

"뭐?" 에리가 이맛살을 찌푸렸다. "그런 말이 어딨어. 그럴 리가 없잖아."

천장을 향해 연기를 내뿜었다. 그리고 말없이 에리를 바라보았다. 히로스케 생각을 하면 앞으로는 본사 쪽으로 가는 게 좋다, 틀림없이 그런 생각을 하고 있겠지…….

"뭔데, 하고 싶은 말이 있으면 속 시원히 좀 해봐."

"아무것도 아냐."

세 모금밖에 안 피운 담배를 비벼 껐다. 휴가는 니바가 에리에게 권한 게 틀림없다. 전에는 "제발 쉰다는 말은 하지 말라"고 애원했었다. 그런데 이제는 반대다. 이제 자기는 더 이상 필요한 사람이 아닌 걸까.

이라부는 조금만 더 연습하면 공중그네를 성공시킬 수 있는 단계까지 발전했다. 우치다가 받아낼 수 있게 된 것이다. 우치다가 100킬로그램이 넘는 거구를 거뜬히 붙잡고, 멋진 스윙을 해 보였다.

그러니 정확하게 말하면 이라부가 아니라 우치다의 실력이 늘었다고 해야 한다. 보통 플라이어 두 사람 무게인 이라부를 받아내는 기술을 터득한 것이다.

처음 성공했을 때는 모두 놀라 술렁거렸다. "와와~!" 여기저기서 놀라 입을 쩍 벌렸다.

그러나 리턴은 꽤 어려울 것 같았다. 한 번 스윙을 하고 난 후, 손을 놓으며 공중에서 180도 몸을 회전시켜 다시 본래 그네로 옮겨가는 것인데, 이라부는 몸이 돌아가질 않았다.

"선생님, 머리만 돌리면 어떡합니까?"

최근 들어 니바가 열심히 지도하고 있었다.

"이상하네. 내 생각엔 회전을 한 것 같은데."

죽어라 머리만 돌려대는 모습이 웃음을 자아냈다.

허공에서 허둥대는 이라부는 해면에 모습을 드러낸 고래 같았다. 아아, 그거였구나, 하고 고헤이는 그제야 납득이 갔다. 이건 바다에 직접 나가 고래 구경을 하는 것과 마찬가지다. 그렇기 때문에 단원들이 모두 구경을 오는 것이다.

"음, 고짱. 이라부 선생, 정식 공연도 할 수 있지 않을까?" 니바가 신이 나서 말했다. "리턴은 못 해도 상관없어. 스윙 한 번만으로도 관객들이 아주 재미있어할 거야."

"진심이세요? 저 사람은 단원도 아니에요." 고헤이가 눈을 부릅떴다.

"계약하면 되지. 물론 보험도 들 거고."

고헤이는 고개를 설레설레 흔들었다. 자기가 데려오긴 했지만, 이런 파격적인 방식은 옳지 않다. 이라부가 왜 여기에 있는지 이제 누구 한 사람 의문을 품지 않는다.

주사를 맞은 후, 이라부와 이야기를 나눴다.

"선생님, 인기가 대단하십니다."

"근데 주사 놔준다고 하면 모두 도망처버려."

"그야 그렇겠죠." 쓴웃음을 지었다.

이라부는 아무래도 주사 놓는 게 취미인 것 같다. 바늘이 피부를 찌르는 순간이면 눈이 반짝반짝 빛난다. 고헤이는 완전히 두 손 들어버렸다. 본래 그런 족속이려니 생각하기로 했다.

"서커스단 내막을 직접 보니 어떠세요?"

"응, 재밌지. 모두들 친절하고. 대가족 같은 분위기야."

차에 곁들여 내놓은 만두를 입이 터져라 밀어 넣은 채 이라부가 대답했다. 간호사 것까지 먹어치웠다.

"예전에는 그랬지만, 지금은 과연 어떨지. 파벌도 있고, 뒤통수치는 일도 있고 그래요."

"흠, 그래?" 양이 덜 찬 듯 보이는 이라부를 위해 고헤이는 만두를 상자째 내놓았다.

"저, 캐처 우치다. 어떻게 생각하세요?"

외부인이라는 생각에 부담 없이 그런 질문을 하고 말았다.

"내가 할 때, 잡을 생각을 안 하잖습니까. 그거 일부러 그러는 겁니다."

"그랬던 거구나. 나쁜 자식~, 사람을 수도 없이 네트에 떨어뜨리고 말야."

"네?"

"어쩐지 이상하더라니." 이라부의 얼굴이 벌겋게 달아올랐다. "가까스로 성공을 하긴 했지만, 어제까지는 일부러 오기를 부렸던 거잖아."

"아니, 그건……."

"리턴도 그래. 조금만 더 높이 올려만 주면……."

"선생님, 그건 샌드백이죠. 선생님 경우는 우치다가 노력해서 받을 수 있게 된 겁니다."

"……그래?"

"당연하죠."

은혜를 몰라도 유분수지. 우치다를 변호해주고 싶은 마음은 추호도 없지만, 같은 취급을 받는 게 싫었다.

"그게 아니라, 제 얘기예요. 여러 번 보셨잖아요, 실수하는 장면. 그것도 정식 공연에서. 그네 위치를 바꿨는지 스윙 폭을 줄였는지 모르지만, 받을 생각이 아예 없는 것 같지 않습니까?"

"잘 모르겠는데." 이라부가 만두로 손을 뻗었다.

"50센티미터나 간격이 벌어지게 손을 뻗다니 있을 수 있는 일이냐구요."

"어어~, 그래." 이라부는 우적우적 게걸스럽게 먹어댔다.

"이건 음모예요. 밖에서 들어온 무리가 날 현장에서 내쫓으려고 음모를 꾸민 겁니다."

"흐음." 시큰둥한 반응이었다. 입가에 만두 속이 묻어 있었다.

"선생님, 듣고 계신 거예요?"

"미안, 무슨 얘기였지?"

고헤이는 한숨을 내쉬었다. 그래도 이야기할 상대가 필요했기 때문에 다시 한 번 설명했다.

"음모라. 그럼 비디오라도 찍어서 증거를 들이대면 어떨까?"

가볍게 툭 던진 이라부의 말에 고헤이는 고개를 번쩍 쳐들었다. 맞다, 그런 방법이 있지. 왜 진작 그 생각을 못했을까.

내일 다시 한 번 공중그네를 타면서 에리에게 놈의 잔꾀를 촬영하게 만들어야겠다…….

"이왕 찍을 거면 내 것도 부탁해. 우리 병원 신경외과 직원들이 믿질 않는단 말야. 공중그네 타는 게 사실이면 수술도 하게 해준대, 비디오로 찍어서 증거를 들이댈 테다!"

이라부가 콧구멍을 벌름거리며 주먹을 불끈 쥐었다. 도저히 농담으로 들리지 않았다.

이라부는 만두를 깨끗이 먹어치웠다. "운동을 해서 그래." 뻔뻔스러운 표정으로 말했다. 간호사는 대체 어디 있나 싶어 창밖을 내다보니 표범 우리 앞에서 담배를 피우고 있었다. 의사가 이 모양이니…….

표범 표돌이는 으르렁거리지도 않고, 나른한 눈빛으로 젊은 여자 인간을 바라보고 있었다.

4

에리는 눈을 치뜨며 거절했다.

"안 할 거라는 거 뻔히 알지. 어떻게 그런 스파이 같은 짓을."

"부탁이야. 객관적인 증거가 필요해. 입으로 떠들어봐야 시 치미 뗄 텐데."

고헤이가 애원했다. 테이블에 손을 올려놓고 고개를 깊숙이 숙였다.

"함께 일하는 동료한테 어떻게 그런 짓을 해?"

"그건 내가 할 말이야. 싸움을 거는 건 그쪽이잖아."

"그러지 말고 고짱. 한번 우치다 씨와 차분하게 얘기를 나눠 보는 건 어때. 중요한 건 오해를 푸는 거잖아."

"그건 알아. 그러니까 그러기 위해서라도 자기들이 하는 짓 을 한번쯤 제대로 확인시켜줄 필요가 있다니까."

불만스러운 표정을 짓는 에리에게 반 강제로 비디오카메라 를 떠안겼다. "어떻게 되든 난 몰라." 에리가 톡 쏘듯 말했다. 폭풍우가 휘몰아치겠지만 어쩔 수 없는 일이다. 고름을 짜내지 않으면 앞으로 나아갈 수가 없다.

니바에게 공중그네에 출연시켜 달라고 부탁했다.

"고쨩, 하와이 다녀오라니까 하와이." 니바가 눈 꼬리를 축 늘어뜨리는 척하며 고헤이의 어깨를 쓰다듬었다. "일벌레 시대는 이미 지났어. 가족이나 부모님을 위해서도 시간을 좀 내야지."

"왜 그렇게 휴가를 보내려 드는 거죠? 니바 단장님, 뭐 숨기는 거라도 있습니까?"

본격적으로 의심이 들기 시작했다. 니바의 이마에 땀이 번들거렸다.

"이유는 무슨 이유가 있겠나. 난 그저 고쨩 건강이 걱정될 뿐이라니까."

"감기 안 걸렸어요. 난 평상시처럼 쇼에 나갈 겁니다."

강경하게 잘라 말하며 멤버 구성표에 자기 이름을 직접 써넣었다. 물론 '퍼스트' 자리에. 자기는 팀의 리더다.

그날은 여러 연기에 겹치기 출연했다. 지상 10미터 높이에서 거꾸로 자전거 타기를 선보인 오프닝 쇼를 시작으로 오토바이 곡예, 에리와 팀을 짠 장대 묘기, 평소 같으면 후배들에게 맡기는 것까지 도맡아서 했다.

가만있으면 안정이 되지 않아서였다. 연기에 몰두하면서 조금이라도 공중그네를 머릿속에서 쫓아내고 싶었다.

마침내 메인이벤트인 공중그네 쇼가 시작되었다. 사회자가 멤버를 소개하자, 눈부신 스포트라이트가 쏟아졌다. 고헤이는 마지막에 소개된다. 의상도 혼자만 빨간 라인이 들어간 걸 입는다.

아래를 내려다봤다. 스테이지 구석에 카메라를 들고 숨어 있는 에리의 모습을 확인했다. 이날만큼은 실패하기를 바랐다. 수치를 당하는 것도 이번이 마지막이라고 생각하면 된다.

젊은 단원들이 각종 공중곡예 연기를 선보였다. 고헤이는 점프대에서 그 모습을 지켜보았다. 우치다는 평상시와 다른 낌새는 보이지 않았다. 시선을 돌려 그네가 고정된 위치를 올려다봤다. 설비부원 두 사람이 보였다. 스턴트맨 출신 무리다. 흥 하고 코웃음을 쳤다. 네놈들 마음대로 되진 않을 거다. 속으로 욕을 퍼부었다.

마침내 고헤이 순서가 돌아왔다. 하루키에게 당목을 넘겨받고 타이밍을 재기 시작했다. 중앙에 있는 우치다는 난처한 표정을 짓고 있었다. 뭔가 할 말이 있는 사람처럼 보였다.

점프대를 구르고 나가 스윙을 한다. 스피커가 쏟아내는 댄스 뮤직이 고막을 쾅쾅 울렸다. 양쪽 다리를 걸고 거꾸로 매달렸다.

상체를 뒤집는다. 중앙 그네에서 우치다가 손을 앞으로 뻗는다. 걸었던 다리를 푼다. 허공으로 날아오른다. 50센티미터 정도가 아니라 1미터나 간격이 벌어졌다.

우치다를 쳐다봤다. 완전히 경직된 표정이다.

그대로 낙하했다. 네트에 부딪혀 튕겨 올랐다. "아아~!" 놀라는 관객들의 탄성. 사회자는 아무 말도 하지 않았다. 곧바로 뒤를 쫓는 스포트라이트를 향해 양손을 벌려 답을 보냈다.

네트에서 내려가자마자 에리가 있는 곳으로 달려갔다.

"지금 거 촬영했어?" 흥분한 탓에 높고 날카로운 목소리가 새어나왔다.

"응, 찍었어." 에리가 새파랗게 질린 얼굴로 고개를 끄덕거렸다.

"어때, 하루키 애들이 할 때랑 확실히 달랐을 텐데."

"으응, 많이 달라."

내 말이 맞지! 고헤이가 비디오카메라를 낚아챘다. 부조정실에서 돈 계산을 하고 있는 니바를 턱짓으로 불러내 빈방으로 들어갔다. 에리도 따라 들어왔다.

"고쨩, 진정해." 니바가 뒤를 쫓아 들어오며 말했다. "쇼크일지는 모르지만."

"뭐 그리 쇼크 받을 일은 아니죠. 우치다 무리가 날 싫어하는 건 이미 알고 있었으니까."

"그게 아니라……."

빈방에서 비디오를 재생시켰다. 니바와 에리는 보려고 하지 않았다. 트럼프 카드만한 액정 모니터에서 방금 전 공연한 공중그네 쇼 장면이 돌아가기 시작했다.

우치다가 찍었을 거라 생각했는데 렌즈가 포착한 사람은 고헤이 자신이었다.

날 찍어봐야 무슨 소용이 있어……. 막 그 말을 내뱉으려는 순간, 허공을 향해 날아가는 영상이 나왔다.

뭐야~? 곧바로 판단이 서지 않았다. 이게 나란 말인가……?

테이프를 되돌려 다시 한 번 확인했다. 이번에는 정신을 바짝 차리고 모니터를 응시했다.

아무리 봐도 자기가 확실했다. 거기에는 허리를 구부정하게 굽힌 캥거루 자세를 한 공중그네 연기가 촬영되어 있었다. 스윙도 제대로 안 된 모습이었다.

"그런 건 말로 해서 고쳐지는 게 아니고, 신경을 쓰면 점점 더 나빠진다고들 해서……."

니바가 동정하는 투로 말했다.

"처음에는 본인도 아는 줄 알았는데, 그런 것 같지도 않고. 그렇다면 심리적인 문제니까 섣불리 지적하지 않는 게 낫겠다 싶어서……."

그제야 떠올랐다. 니바가 "허리라도 아픈 거 아냐?"라고 묻던 일. 그리고 이라부가 "허리가 빠졌어"라고 말하던 일이. 추호도 의심을 품지 않았다. 그런데 정작 자신이 점프할 때 허리 중심이 흐트러져 있었던 것이다.

네트에 떨어졌을 때, 후배들이 보내던 동정하는 듯한 시선. 조심스럽게 대하던 태도. 잇달아 이런저런 생각이 떠오르며 수치심으로 얼굴이 벌겋게 달아올랐다. 엄청난 충격이었다.

"언제부터?" 고헤이가 물었다.

"도쿄 공연 시작하면서부터. 우치다가 캐처가 된 무렵부터 허리가 굽어지기 시작하고 스윙도 점점 작아져서……." 니바가 고헤이의 어깨에 손을 얹었다. "마음 쓸 거 없어. 솔로로 연기하면 우리 팀 넘버원이잖아. 공중그네도 내가 파트너 할 때는 아무 문제 없고. 잘 알지 못하는 상대에게 무의식적으로 거부반응을 보이는 것뿐이야."

온몸에 소름이 돋았다. 우치다에게 얼마나 못할 짓을 저지른 것인가. 틀림없이 자기를 경멸하고 있을 것이다.

"옛날 선배한테 들은 얘긴데, 이런 걸 '중 걸레질'이라고 한다더군. 허리에 힘을 안 들이고 대충 걸레질하는 모습이랑 비슷했던 모양이야. 그러니까 고짱 혼자만 겪는 일이 아니란 말이야. 과거에도 그런 사람이 여러 명 있었어."

소파에 몸을 깊숙이 파묻었다. 손바닥으로 얼굴을 감쌌다. 자신이 싫어졌다.

"자, 곧 피날레니까 그만 나가볼게. 고짱은 안 나와도 돼"라는 니바. 에리는 아무 말 없이 고헤이의 이마를 어루만졌다. 두 사람이 함께 방을 나갔다.

중 걸레질이란 말이지. 고헤이는 입속으로 중얼거렸다. 아마도 자기와 성격이 비슷한 선배들이 걸렸던 병일 것이다.

어릴 때는 전학에 전학이 이어지는 생활이었다. 새로운 친구가 생겨도 예외 없이 2개월 만에 이별해야 했다. 슬픔을 견디는 게 싫어서 그때부터 벽을 쌓기 시작했다. 누군가를 새로 사귀는 일을 회피하게 된 것이다.

방어 본능도 강했다. 서커스단 아이라는 이유만으로 이상하게 쳐다보고, 때로는 싸움을 걸어 오기도 했다. 같은 단원 아이가 괴롭힘을 당하면 앞장서서 앙갚음을 하러 갔다. 동료의식이 강해진 반면, 외부에 대한 경계심은 더욱 커졌다.

아마도 자신은 닫혀 있을 것이다. 실은 사람을 무척이나 그리워하면서도 가까이 다가서려 하지 않는다. 친구가 늘어나는 것에 익숙하지 않은 탓이다.

그때 문이 열렸다. "아, 여기 있었네"라며 이라부가 얼굴을 들이밀었다. 무뚝뚝한 표정의 간호사도 함께 나타났다. 이 두 사람은 이제 어디든 프리패스다.

"오늘 2부 공중그네 연기에 나가게 됐어." 이라부가 신이 나서 말했다. "니바 씨가 보험도 들어주고, 내 의상도 따로 만들어 줬다구." 가방을 열고 표범무늬 무대의상을 꺼내 보였다.

고헤이는 화들짝 놀라 벌떡 일어나서 창밖 표범 우리를 확인했다.

표돌이는 무사했다. 전신에 맥이 풀렸다.

"우선 주사부터 놓지." 평상시처럼 비타민 주사를 맞았다.

언제 왔는지 히로스케가 뚫어져라 쳐다보고 있었다.

"선생님, 어릴 적에는 어떤 아이였어요?" 불쑥 그런 질문을 했다.

"어릴 때? 평범한 아이였지."

거짓말 마. 누가 그 말을 믿겠어.

"선생님이 다녔던 초등학교에 서커스단 애가 전학 왔던 적 없었나요?"

"없었던 것 같은데, 사립이었으니까."

그렇군, 부잣집 도련님이셨군.

"난 아무래도 허리가 굽어지는 병에 걸린 것 같습니다." 주사 자국을 문지르며 말했다. "다른 사람 가슴속으로 뛰어들 수가 없어요."

"외국에서 귀국한 애들이 자주 전학을 오긴 했는데."

"게다가 소규모일 때는 괜찮은데, 규모가 커지면 갑자기 긴장하는 것 같고……."

"외국물이 들어서 시건방졌거든."

"그런 증상에도 무슨 병명이 있는 건가요?"

"모두들 왕따를 시켰지. 도시락으로 싸 온 샌드위치에 연고를 발라놓기도 하고."

"선생님, 다른 사람이 하는 얘기도 좀 들으세요." 자기도 모르게 찬바람이 쌩쌩 도는 목소리가 튀어나왔다.

히로스케가 간호사와 술래잡기를 하고 있었다. 콧물을 흘리기에 가까이 오라고 불렀다. 티슈 한 장을 뽑아 히로스케의 코에 댔다.

"흥, 해."

고헤이가 시키는 대로 히로스케가 코를 풀었다. 그 모습을 보고 퍼뜩 정신이 들었다.

이 아이는 자기 아버지를 믿고 모든 걸 맡긴다. 그러니 있는 힘껏 코를 풀 수 있는 것이다.

공중그네 캐치도 마찬가지일 것이다. 중요한 건 마음을 비우는 일. 가장 좋은 예가 이라부다.

"그건 그렇고 야마시타 씨, 불면증은 어떻게 된 거야?" 이라부가 물었다.

"약 덕분에 잠은 잘 잡니다만……."

"미안. 전에 처방한 건 단순한 정장제(整腸劑)였어."

순간 온몸에 힘이 빠졌다. 소파에 털썩 주저앉고 말았다.

"뭐, 잘됐네. 결과가 좋다니." 이라부가 웃었다. "뭐든 약이라고 믿고 먹으면 효과를 보는 것 아니겠어. 의사를 믿으라구. 아하하!"

이렇게 행복한 남자가 있을까. 고민 같은 건 하나도 없겠지.

방 한쪽 구석에서 히로스케를 붙잡은 간호사가 억지로 팔소매를 걷어 올리고 있었다. "자, 잠깐……." 고헤이가 간호사를 불렀다.

"감기 예방주사예요. 공짠데 좋잖아요." 간호사가 나른한 목소리로 말했다.

뭐, 나쁘진 않겠지……. 모른 척하기로 했다. 이 사람들에게는 도무지 저항할 마음이 생기지 않는다.

히로스케는 울상이 되어 바늘이 팔을 찌르는 순간을 뚫어져라 쳐다보고 있었다.

2부 공연이 시작되자, 이라부가 표범무늬 무대의상을 몸에 걸치고 나타났다. 프로레슬러처럼 살찐 프레디 머큐리 같은 분위기였다.

아무도 웃지 않았다. 그런 차원을 넘어선 뭔가가 느껴졌다. 독특함의 도가 지나친 나머지, 도저히 웃음으로는 표현할 수 없는 것이다.

조명발을 잘 받으려고 얼굴에 분칠까지 했다. 에리가 재미있어하며 속눈썹을 붙여주었다.

"선생님, 잘 어울리네요." 고헤이는 진심에서 우러나온 말을 건넸다. 다른 세상에서 온 사자(使者) 같은 분위기가 풍겼다.

고헤이는 다시 한 번, 뺨을 꼬집었다. 불과 일주일 만에 이곳까지 비집고 들어온 남자가 있다. 정신을 차려보니 그곳에 와 있었고, 아무도 의문을 품지 않았다. 고헤이조차 한 번도 경계한 적이 없었다.

그리고 그런 초보자가 지금 공중그네 연기를 시도하려는 순간이다.

아마도 10년이 지난 후쯤에는 오늘을 떠올리며 모두들 웃어댈 것이다. "니바 씨도 그렇지. 너무 순순히 출연시켰던 거 아냐", "모두들 어떻게 됐었나봐"라는 이야기를 나누면서. 그리고 이라부라는 불가사의한 의사를 그리워하게 될 게 분명하다.

히로스케도 오늘을 기억할까.

"선생님, 드디어 정식 연기인데, 떨리지 않습니까?"

"뭐가?"

이라부가 코를 실룩거리며 고헤이를 쳐다봤다. 어리석은 질문이었다.

스테이지 한쪽 구석에 우치다가 보였다. 혼자서 몸을 풀고 있었다.

사과는 빠를수록 좋다. 고헤이가 천천히 다가갔다.

"우치다 씨, 주먹을 휘둘러서 미안합니다." 고개를 깊이 숙였다. "내가 그런 상태라는 건 꿈에도 모르고, 골탕을 먹인다고 오해했습니다."

"아니, 괜찮습니다." 우치다가 시선을 내리깔며 작은 목소리로 말했다. "저도 아직 서툴러서……."

"천만의 말씀……. 다른 플라이어하고는 능숙하게 잘 해내고 있잖아요."

"고헤이 씨는 퍼스트이니 저한테도 책임이 많은 것 같아 줄곧 고민했습니다."

우치다는 다카쿠라 겐(高倉健, 일본 영화배우)처럼 어눌하게 말했다. 그렇게 생각해서 그런지 얼굴까지 닮아 보였다. 고헤이는 점점 더 미안해졌다.

"곧바로 낫지는 않겠지만, 차차 회복될 것 같으니 내일부터 연습 상대가 되어주십시오." 다시 한 번 고개 숙였다.

"저야말로 잘 부탁드립니다."

순식간에 마음이 한결 가벼워졌다. 말의 힘을 새삼 깨달았다. 왜 조금 더 빨리 대화를 나눠보지 않았을까. 초등학생 시절로 되돌아가 새 친구도 다시 만들어보고 싶다는 생각까지 들었다.

그 순간, 장내 조명이 어두워졌다. 사회자의 달뜬 목소리가 스피커에서 흘러나왔다.

"자아, 여러분. 드디어 신일본 서커스단이 야심차게 준비한 공중그네 쇼를 시작하겠습니다. 지상 13미터, 기둥 간격 20미터. 단련에 단련을 거듭한 아티스트들이 펼치는 숨 막히는 화려한 연기를 마음껏 만끽하시기 바랍니다!"

단원들이 자기 자리로 흩어졌다. 고헤이는 이라부를 챙기는 임무를 맡아 점프대로 올라갔다. 우치다는 중앙 그네에 거꾸로 매달려 있었다.

댄스뮤직에 맞춰 젊은 단원들이 차례차례 기량을 과시했다. 그때마다 객석에서 환성과 박수가 쏟아졌다. 스탠드에는 미소 띤 얼굴이 화단의 꽃처럼 만발했다.

관객들의 얼굴을 볼 수 있어서 서커스 일이 좋다. 아이들은 서커스 구경한 날을 결코 잊지 못한다.

"선생님, 전망이 좋죠."

"저기 봐, 저기, 야마시타 씨. 맨 앞줄 미니스커트 입은 여자애, 팬티 보일 것 같지."

다리가 휘청한다. 대체 뭘 보고 있는 거야, 이 사람. 이러니

얼 리가 있나.

드디어 이라부 차례가 왔다. 사회자가 소개한다.

"이쯤에서 특별 게스트 비행을 관람하시겠습니다. 연기를 보여주실 분은 이라부 종합병원의 의사, 이라부 이치로 선생님입니다. 거짓말이 아닙니다. 공중그네는 완전 초보. 일주일 훈련으로 여러분 앞에 연기를 펼칠 수 있게 되었습니다!"

스포트라이트를 받으며 이라부가 천진난만하게 손을 흔든다. 고헤이는 심장이 쿵쿵 뛰기 시작했다. 흡사 보호자가 된 심정이었다.

"선생님, 됐습니까."

"응, 됐어."

"자, 그럼 갑니다." 당목을 넘겨주고 타이밍을 쟀다. "하나, 둘, 셋, 고우!" 등을 내리쳤다.

이라부가 점프대를 구르며 앞으로 나간다. 거구가 멋진 포물선을 그리며 날았다.

"우와~!"

술렁임이 일었다. 역시 뚱보는 그림이 된다. 보는 사람까지 자랑스러워졌다.

한 번 스윙을 하고 나서 손을 놓았다.

천막 아래에 있는 사람들 모두 숨을 죽였다.

다음 순간, 우치다의 두 손이 이라부의 팔을 낚아챘다. 중앙에 매달린 그네가 밑으로 내려앉듯 크게 한 번 출렁이더니, 휠

썬 큰 포물선을 그리며 날았다.

"성공이다~!"

고혜이는 펄쩍 뛰어올랐다. 하루키를 끌어안고 기쁨을 나눴다. 부조정실에 있던 니바는 벌떡 일어서서 두 손을 모아 쥐더니 운동선수처럼 좌우로 흔들었다.

객석에서는 그날 공연 중, 가장 큰 박수소리가 울려 퍼졌다.

이젠 리턴이다. 저 사람, 혹시 성공시키는 거 아냐? 고혜이는 잔뜩 흥분해 있었다.

스윙을 한 번 하고 나서 이라부는 다시 공중으로 날아올랐다.

몸은 그대로인 채 고개만 획 돌아갔다.

장내는 폭소로 뒤덮였다.

장인의 가발

1

아자부가쿠인 대학 의학부 동창회에는 약 80여 명이 출석했다. 동기로 졸업한 인원이 115명이니 그런 대로 괜찮은 출석률이다. 3년에 한 번씩 여는 정례행사이고 올해로 4회째다. 졸업하고 12년이 지나면 의학부 졸업생은 가장 어린 사람이 서른여섯, 옛 동급생들 외모에도 슬슬 중년 기미가 엿보이기 시작한다.

부속병원에서 대학 강사로 근무하는 이케야마 다쓰로(池山達郞)는 미즈와리(술에 물이나 얼음을 넣어 묽게 만든 것)를 마시며 회장 안을 둘러보았다. 지방에서 올라온 사람도 보이고, 그리웠던 얼굴들도 여러 명 눈에 띄었다.

"야아, 올해는 꽤 성대한데." 초밥을 집어 들며 동료 외과의사인 구라모토가 히죽거렸다.

모임은 매회 일류 호텔에서 열리지만, 올해는 유독 성대한 요리가 돋보인다.

"그런가?" 다쓰로가 모르는 체하자, 구라모토가 "자식, 시치미 떼긴. 노무라 선생이 학부장이 돼서 그런 거 아냐"라며 다쓰로의 옆구리를 찔렀다.

단상에는 금빛 병풍이 둘러쳐져 있고, 그 앞에는 전 외과주임이자 현 학부장인 노무라 에이스케가 앉아 있다. 이 사람이 의학부의 새로운 권력자다. 그리고 다쓰로의 장인이기도 하다.

"이제 넌 모교 교수 자리는 확실해졌겠다."

"무슨 소리야. 어디 시립병원에 처박혀 여생 마치는 거 아닌가 모르겠다." 다쓰로는 살며시 미소 지으며 손사래를 쳤다.

"바보 같은 소리 그만해. 보기도 아까운 사위를 밖으로 내칠리가 있나." 구라모토가 놀리듯 말했다.

다쓰로가 노무라의 외동딸, 히토미와 결혼한 것은 5년 전이다. 혼담이 들어온 게 아니라, 상대 쪽에서 접근해 왔다. 집에 초대한 젊은 의사 가운데서 다쓰로가 히토미의 눈에 들었던 것이다. 차남이라는 것도 점수를 따는 데 한몫했을 것이다. 게다가 노무라는 딸에 대한 애정이 각별했다.

처음에는 망설였지만, 차츰 마음이 끌렸다. 나쁠 게 없었다. 교수 집안 사람이 되는 것이다. 대학에 적을 두는 한, 교수가 못되면 의미가 없다. 다쓰로는 대단한 야심가는 아니지만, 보통사람 정도의 욕심은 있다.

"신경과엔 라이벌도 없잖아?"

"이봐, 그런 불순한 동기로 전과(轉科)한 게 아니야."

다쓰로가 매섭게 쏘아보자, 구라모토는 "농담이야!"라며 어깨를 들썩였다. 그러고는 볼이 미어지도록 다랑어 초밥을 밀어넣었다.

다쓰로가 2년간 내과 연수를 마치고 신경과로 전과한 것은 순수한 의학적 흥미에서였다. 실제로 정신약리학 연구에서는 나름대로 성과도 거두었다. '일반과'에 자신이 없어서 도망쳤다는 시선은 정신과 의사들에게는 달갑지 않은 편견이다.

"야, 그 다랑어, 아주 맛있어 보이는데." 다쓰로가 말한다. 지방이 희끗희끗 박힌 상품 다랑어다.

"가운데 초밥 코너. 빨리 안 가면 금세 없어질 거다."

"이미 늦었어." 그때 바로 옆에 서 있던 지방대학 조교수가 어깨를 두드렸다. "이라부가 왔어. 다랑어든 장어든 깡그리 그놈 뱃속으로 들어갔다구."

"이라부? 의학부의 화근이라 불리던 이라부 이치로 말야?" 다쓰로가 미간을 찌푸렸다.

"달리 누가 있냐. 지난번엔 참석하지 않았으니 6년 만이군. 배까지 튀어나와서 이젠 완전 중년 아저씨야."

"옛날부터 겉늙어 보였잖아. 대학 들어왔을 때, 난 강사인 줄 알았다니까." 구라모토가 말했다.

"맞아 맞아. 열여덟 동갑내기란 소리 듣고, 도쿄는 무서운 곳이란 생각을 했지." 다른 친구도 이야기에 끼어들었다.

"저 자식, 큰 병원 이어받을 상속자였지, 아마. 소아과였던가." 다쓰로가 물었다.

"그렇긴 한데……." 이번에는 여의사가 손을 살래살래 흔들며 다가왔다. "아이들은 상대할 수 있을 것 같다고 소아과로 보냈는데, 꼬마 환자들과 싸웠던 모양이야. 그것도 애들과 똑같은 수준으로. 결국 부모들 항의가 빗발쳐서 신경과로 옮겼대. 지금은 이라부 종합병원 정신과 의사."

"헤~. 그럼 이케야마랑 같은 과잖아. 사이좋게 지내는 게 좋겠다." 누군가 웃으며 말했다.

"이라부 같은 녀석이랑 비교하지 마. 저 녀석이 졸업할 수 있었던 건 아키시노노미야(秋篠宮, 일본 천황의 차남으로 왕실 후계자 서열 2위) 왕자 결혼식 특사(特赦) 덕이었다구."

"졸업은 아버지 힘이었지. 어쨌든 아버지가 일본 의사협회 유력자니까. 문제는 국가고시 통과였을 거야. 프리메이슨 관련설까지 나올 정도라니까."

모두들 한마디씩 이라부 뒷말을 한다. 대학 시절부터 이라부는 화제의 보고(寶庫)였다. 모든 행동이 이상했던 것이다. 표본 골격에다 형광펜으로 색칠을 하고, 하얀 실크 가운을 맞춰 입고, 도둑고양이를 잡아다 비타민 주사를 놓았다. 정원에 있는 연못의 잉어는 이라부가 모조리 잡아먹었다는 이야기도 있었다.

"저기 좀 봐, 이번엔 로스트비프 쪽으로 가는데." 조교수 말에 모두 고개를 빼고 쳐다보았다.

이라부는 회장 한가운데 있었다. 전보다 훨씬 더 살이 찐 비대한 옛 동급생이 행사 도우미에게 고기를 잘라달라고 하더니 접시에 가득 담았다.

"저 녀석, 대체 몇 장이나 먹을 생각이야."

"몇 장은 무슨 몇 장, 전부 다겠지. 역 앞에 있던 '서울정'이라는 갈비 뷔페, 저 인간이 문 닫게 만든 거 벌써 잊어버렸어?"

이라부는 볼이 미어지도록 닥치는 대로 고기를 입 안 가득 쳐넣었다. 그러고는 목구멍으로 술술 삼켜버렸다.

"엇, 이쪽을 봤다."

"눈 마주치지 마. 모른 척해."

둥글게 원을 만들며 화제를 바꿨다. 휴, 요즘 경기가 너무 안 좋아서 말이야…… 어색한 미소를 지으며 되는 대로 대화를 이어갔다. 검은 그림자가 다가왔다. 워낙 거구이다 보니 피하려야 피할 수 없이 시야에 잡힌다.

"야아, 모두 오랜만이다." 이라부가 밝은 목소리로 인사를 건넸다. 무시하려 했지만, 배를 들이밀며 무리를 뚫고 한가운데로 들어온 것이다.

"어어, 이라부. 건강해 보이는데." 하는 수 없이 다쓰로가 대꾸했다.

"왜들 이러고 있어? 한쪽 구석에 모여서. 뭐 좀 안 먹냐?"

"초밥 먹고 싶었는데 다랑어니 장어니, 몽땅 사라졌던데." 여의사가 빈정거렸다.

"내 말이 그 말이다. 사람이 몇인데, 겨우 테이블 하나야, 쪼잔하게."

모두 입을 다물었다. 너 혼자 싹쓸이했잖아. 다쓰로는 하마터면 그렇게 말해버릴 뻔했다.

"이라부, 살이 더 쪘네. 의사니까 건강에는 각별히 신경 써야지." 구라모토가 늘어진 볼을 꼬집으며 말했다.

"단 음식을 삼가고 있긴 한데." 이라부가 잇몸을 드러내며 미소 지었다. 다쓰로는 이라부가 식사 후에 롤케이크 하나를 거뜬히 먹어치우던 모습을 떠올렸다.

"그건 그렇고 병원 경영은 어때. 이라부가 나중엔 원장 될 거 아냐."

"뭐, 어떻게든 되지 않겠냐? 이번에 장례 쪽하고 묘지 판매 쪽을 시작하려고 구상 중이야. 그럼 환자들이 안심하고 우리 병원에서 죽을 수 있을 거 아냐. 하하하."

"이라부가 말하면 농담처럼 들리질 않는다구." 여의사가 아랫입술을 깨물었다.

"좀 있다가 수입차 판매도 해볼 생각이고. 제약회사는 절대 거절 못 할 테니까."

이라부는 여전했다. 한 옥타브 높은 목소리로 주위 사람들을 탈진시켰다.

그때 왜건 위에 놓인 샴페인이 돌았다. "야, 이사장 왔어"라고 속삭이는 소리가 들렸다.

"노무라 선생님이 출석해달라고 부탁했다던데."

"쳇, 자기 학부장 취임 피로연인 줄 아나."

여기저기서 험담하는 소리가 들렸다. 물론 다쓰로 가까이 있는 사람들은 못 들은 척했다. 장인 노무라는 품위 있는 신사지만, 한편으로는 나서기 좋아하고 출세욕도 강했다. 권력을 손에 넣더니 기뻐서 어쩔 줄 모르겠는 모양이다.

행사 도우미가 샴페인을 따랐다. 가지런히 늘어선 글라스를 쳐다보고 있으려니 다쓰로의 목젖이 꿀꺽 하는 소리를 내며 울렸다. 목이 말라서가 아니다. 깨뜨려버리고 싶은 충동 때문이다.

핏기가 가시며 식은땀이 흘렀다. 큰일이군, 하필 이런 때……. 산소 결핍이라도 일어난 듯 호흡이 거칠어졌다.

어금니를 깨물며 등을 돌렸다. 그런데도 생생한 이미지가 머릿속에 떠올랐다. 거침없이 다가가 양손으로 왜건을 뒤엎는다. 바로 자기가.

"어이, 이케야마. 왜 그래?" 구라모토가 물었다. 틀림없이 새파랗게 질린 얼굴이었을 것이다.

"아무것도 아냐. 잠깐 현기증이 나서." 적당히 핑계를 대며 얼버무렸다.

"이라부 때문이겠지. 저 녀석이 독기를 뿜어대잖아."

"응? 나 불렀어?"라고 묻는 이라부.

"아니, 안 불렀어." 둘이 동시에 허겁지겁 대답했다.

글라스가 돌아가고, 한 사람이 단상 위로 올라갔다. 간사인 의국장(醫局長)이다. 마이크를 손에 쥐고 이야기를 시작한다.

"방금, 이사장님이 도착하셨으니, 이쯤에서 건배 선창을 청하기로 하겠습니다. 이어서 노무라 신임 학부장님의 인사 말씀이……."

"꼭 정치가 같군~. 동창회랑 무슨 관계가 있다고." 이라부가 입을 삐죽거리며 말했다.

"이봐." 구라모토가 주의를 주려고 하자 다쓰로가 말렸다.

"신경 쓰지 마. 공과 사는 별개니까."

다쓰로는 엄습해 오는 충동과 싸우는 중이었다. 당장이라도 단상 위로 뛰어올라갈 것만 같다. 이번엔 샴페인 글라스가 아니다. 장인 노무라는 한눈에 알아볼 수 있는 가발을 쓰고 있다. 와락 달려들어 그것을 벗겨버릴 것만 같다.

노무라를 볼 때마다 가발을 벗기고 싶어진다. 병원 복도에서, 대학 강의실에서, 처가에서. 오늘밤은 특히 심하다. 보는 눈이 많을수록 충동이 더 강렬해지기 때문이다.

"이케야마. 안색이 많이 안 좋아." 구라모토가 얼굴을 가까이 들이대며 말했다. "왜 그래. 갑자기 왜 그러는 거지?"

"밖에 나가서 바람이라도 좀 쐬지 그래?"라고 권하는 이라부.

"아니, 나가면 안 돼." 다쓰로는 고개를 흔들며 아랫배에 힘을 넣었다. 노무라는 예의범절에 까다롭다. 출구로 향하는 모습을 보였다가는 좋지 않을 것이다.

사람들 사이에 섞여 되도록 단상 쪽을 쳐다보지 않으려고 애썼다. 금방이라도 앞으로 내딛을 듯한 다리를, 주머니에 손을 넣어 억눌렀다.

"이케짱, 식은땀까지 흐르는데." 이라부가 귀에 대고 속삭였다. "금단? 강박?"

그 말을 듣고 다쓰로는 자기도 모르게 뒤를 돌아보았다. "어어…… 아마 강박." 엉겁결에 그렇게 대답해버렸다.

"좋은 주사 있는데." 이라부가 눈썹을 위아래로 실룩거렸다.

아 참, 그러고 보니 이라부도 정신과 의사지. 평소 환자를 접하다 보면 발한(發汗) 증상 하나만으로도 이상을 알아차린다.

"나, 이상해 보여?" 떨리는 목소리로 물었다.

"똥 마려운 강아지 같아."

"남의 일이라고 함부로……." 그러나 맞는 말이다. 감각적으로는 같다.

"언제, 우리 병원에 한번 안 올래?"

"누가 너 같은 놈이 하는 병원을 가냐."

"간호사 F컵이야." 이라부가 에비스(시치후쿠진七福神이라 부르는 에비스 맥주 캐릭터로 금복주와 비슷한 외모)처럼 눈을 가늘게 떴다.

나 원 참……. 아무 대답도 하지 않자, 이라부가 "그럼 내일 봐"라며 등을 두드린다.

다쓰로는 무릎을 떨면서 한번 의논해보는 것도 나쁘지 않겠다는 생각을 했다. 봄 무렵부터 시작된 이 증상은 동료는 물론 아내에게조차 비밀로 했다. 이라부라면 그다지 개의치 않아도 될 것 같았다.

건배 제창 소리에 맞춰 샴페인을 들이켰다. 단상에 선 노무라의 이마를 가로지르고 있는 부자연스러운 가발 경계선이 유난히 눈에 선명하게 들어왔다.

머릿속에는 구체적인 영상이 떠올랐다. 단상에 올라간 자신이, 연설하는 노무라 뒤로 다가가 살짝 가발을 들추어내는 모습이다. 술렁거리는 회장. 말문이 막혀버린 참석자들. 자신은 경직된 얼굴로 그 자리에 못 박힌 듯 서 있다…….

다쓰로는 주먹을 불끈 쥐며 광기와도 같은 충동과 싸웠다. 정신과 의사가 아니었다면 한결 더 큰 혼란에 빠졌을 것이다.

망설임 끝에 이라부의 병원에 가보기로 했다. 아무래도 같은 업종에 종사하는 사람의 의견을 듣고 싶었기 때문이다. 하지만 아는 사람은 싫었고, 모르는 의사는 더더욱 싫었다. 이라부는 그 어느 쪽에도 속하지 않는 것처럼 느껴졌다. 왠지 외국인 의사에게 진찰받는 듯한 느낌일 것 같았다.

이라부 종합병원 신경정신과는 어둠침침한 지하 1층에 있었다. 가문을 이어갈 상속자 아들이 기껏 이런 대우를 받나 싶어 다쓰로는 은근히 화가 치밀었다. 신경과는 어느 병원이나 구석으로 내몰린다.

"들어오세~요!" 문을 노크하자 안에서 새된 목소리가 들렸다. 안으로 들어서니 진찰실은 서재 분위기였고, 이라부는 1인용 소파에 앉아 있었다.

"야, 경영자 직계인데 햇볕 좀 잘 드는 방을 쓰지 그래." 실내를 둘러보며 다쓰로가 불만스러운 듯 말했다.

"할 수 없지 뭐. 수입이 적은데." 이라부가 볼을 실룩거리며 말한다. 그러더니 "어~이, 마유미짱" 하고 간호사를 불러 커피를 가져오라고 시켰다.

"그건 그렇고, 이케짱한테 부탁이 하나 있는데"라며 이라부가 입을 연다. "우리 소견서, 부속병원에서 받아줄 수 없을까? 요즘 귀찮은 환자가 많아서 말이야."

"뭐?" 다쓰로는 이맛살을 찌푸렸다. "뭔 소릴 하는 거야. 나는 진찰받으러 온 거야, 지금."

"엇, 그런 건가."

"니가 오라고 했잖아."

"그런 것 같기도 하네."

다쓰로는 땅이 꺼져라 한숨을 내쉬었다. 조금은 어른스러워졌을 거라 믿고 방심했던 것이다. 이라부는 말을 내뱉는 순간 잊어버리는 사내였다.

"그럼, 얘기해봐." 이라부는 관심 없다는 듯 커피를 홀짝인다.

"저, 너희 쪽이 임상경험은 풍부할 것 같아서 물어보는 건데, 강박신경증, 투약은 어떻게 하냐?"

"증상에 따라 다르지." 이라부가 소파 깊숙이 몸을 파묻고 앉아 대답했다.

'잘난 척하기는' 이라는 말을 애써 삼키며, 다쓰로는 자기 증상을 설명했다. 되도록 심각하게 들리지 않도록 가벼운 말투로 이야기했다.

"실은 요즘, 내가 무슨 해괴한 짓을 저질러버리는 게 아닌가 늘 조마조마해서 말야. 어젯밤 파티를 예로 들면, 테이블 위에 늘어놓은 고급 샴페인 글라스가 눈에 들어오는 순간, 와장창 엎어버리고 싶은 충동이 생겨서 필사적으로 참아야 했단 말이지."

"파괴충동 말이지?"

"넓게 보자면 그렇긴 한데, 연구실에 있는 비커나 실험기구에는 아무런 반응이 나타나지 않는 걸 보면 아마도 사람들 앞에서 이상한 행동을 하고 싶어 하는 것 같아."

"예를 들면?"

"다양하지. 학회 논문 발표회 때, 긴짱하시리(일본 유명 코미디언 긴짱이 코믹하게 뛰는 모습)로 등장하고 싶다거나……."

"푸하하. 한번 해봐. 구경 가게." 이라부가 큰 소리를 내며 웃는다.

"웃을 일이 아니야. 실제로 다리가 움직인 적도 있다니까."

"흐흠. 그리고 또?"

"행사가 진행되는 중에 문득 벽에 붙은 비상벨이 눈에 띄면, 누르고 싶은 충동 때문에 한 시간 내내 정신을 못 차린다거나……."

"누르고 도망치면 되잖아."

이라부가 몸을 일으켜 앉으며 재미있어 한다. 아주 잠깐, 장인 노무라의 가발 이야기를 하려다가 만에 하나를 생각해 그만두었다. 소문이라도 나면 돌이킬 수 없다.

"그럼, 약은 먹고 있어? 우리가 처방해봤자 신경안정제뿐인데"라고 말하는 이라부.

"그건 나도 먹고 있지. 이것저것 시험해보고 있어."

"그럼 혹시 원인이 뭔지 짚이는 거라도? 강박신경증은 부모의 가정교육이 너무 엄했기 때문이라는 설이 일반적이잖아."

"이라부도 그렇게 생각하나?"

"아니, 전혀." 고개를 흔든다. 볼 살이 덜렁 흔들렸다. "그건 지나치게 안일한 생각이지."

어쭈. 다쓰로는 의외로 진보적인 이라부를 보고 충격을 받았다. 최근 뇌 연구가 활발해지면서 특정 뇌 물질 부족이 신경증과 관련 있다는 게 밝혀지기 시작했다. 뭐든 심리적 외상에서 원인을 찾는 태도는 고루한 정신의학이다.

"내 생각엔 야채 부족 같은데."

"뭐어?"

"비타민 결핍은 교감신경에 이상을 초래하거든. 그러니까 주사 먼저 놔줄게."

"너, 지금 무슨 소릴 하는 거야. 내복약으로 충분하잖아."

"어~이, 마유미짱."

이라부가 고함치자 좀 전에 봤던 간호사가 커튼 안쪽에서 다시 모습을 드러냈다. 어리둥절해 있는 사이, 주사가 준비되고, 다쓰로는 왼쪽 팔뚝을 주사대에 묶이고 말았다.

"잠깐만." 소리를 질렀지만 들은 척도 않는다. 간호사가 가슴을 들이대는 바람에 자기도 모르게 계곡 쪽으로 시선이 쏠렸다. 그리고 몽롱한 의식 사이로 바늘이 팔을 찌르는 통증이 느껴졌다.

"아야야야." 앞을 쳐다봤다. 이라부가 콧구멍을 벌름거리며 뚫어져라 바라보고 있었다.

뭐야, 이게……? 아무 생각도 나지 않았다. 어쩐지 현실에서 완전히 벗어난 것 같은 1분 수십 초였다.

"한동안 통원치료를 받아라. 비타민 주사, 놔줄 테니까." 이라부가 미소 짓는다.

"통원치료? 비타민 주사는 왜 매일 놓는 건데?"

"구라모토 무리에게는 아무 말도 안 할게." 눈빛이 반짝반짝 빛났다.

"야, 비겁하게 왜 이래. 의사에게는 비밀을 지킬 의무가 있는 거야." 다쓰로가 안색을 바꿨다.

"알았어, 알았다구. 영수증은 얼마든지 끊어주지. 연구비 불리는 데 요긴할 거 아냐."

어처구니가 없어 말을 잇지 못하고 있는데, 간호사가 요구르트를 내왔다. 어, 여기가 대체 뭐 하는 데였더라……. 마치 꿈이라도 꾸는 듯한 기분이었다.

"파괴충동은 다시 말하면 자신을 망가뜨리고 싶어 하는 심리니까, 보상행위를 찾아내면 의외로 쉽게 진정시킬 수 있지 않을까?"

이라부의 말에 다쓰로가 고개를 쳐들었다. 치료 수단으로 보상행위를 찾는다는 말은 금시초문이지만, 나름대로 일리가 있어 보였다. 세상에 둘도 없는 바보천치는 아닌 듯싶다.

"지역 폭주족에 들어가 보든지. 신나게 달리고, 난폭하게 굴면 상쾌해지지 않겠냐?"

"야, 그러다 체포당하면 어쩌구. 그리고 누가 이런 아저씨를 받아주기나 한대."

"어쨌거나 자제력은 내동댕이치고 내키는 대로 자유롭게 행동할 것. 동심으로 돌아갈 것. 긴짱하시리 정도는 허용 범위 안에 들지."

"나는 현직 의사고, 게다가 대학 강사란 말이야." 다쓰로가 얼굴을 찡그렸다.

하지만 내키는 대로 자연스럽게 행동하라는 충고는 마음에 와 닿았다. 학생 시절에는 성격이 밝고 사람들 시선을 끄는 걸 아주 좋아했다. 지금은 이상하리만큼 신중하다. 너무 빨리 브레이크를 밟아버렸다. 의사로서의 자각이라면 그럴듯하지만, 다른 말로 하면 겁쟁이가 된 것이다.

"내일 또 와"라는 이라부.

"어어." 다쓰로는 자기도 모르게 고개를 끄덕이고 말았다.

엎친 데 덮친 격으로, 학부장실이 의학부 안뜰을 사이에 둔 맞은편 건물로 이사를 왔다. 방문객이 많다는 이유로 드나들기 편한 1층으로 이사를 하게 된 것이다.

창이 넓어서 다쓰로의 연구실에서는 싫든 좋든 노무라의 모습이 한눈에 잡힌다. 언뜻 봐도 가발임을 알아차리게 하는 이마와 가발 사이의 경계선까지도.

노무라는 점심시간이 되면 안뜰에서 일광욕을 했다. 비서를 시켜 등나무로 만든 의자를 내놓고, 거기 앉아 책을 읽다가 곧바로 낮잠을 자는 게 일과였다. 그럴 때마다 다쓰로는 몰래 다가가 가발을 벗겨버리고 싶은 충동에 휩싸여 혼자서 비지땀을 흘렸다.

하는 수 없이 점심에는 커튼을 치기로 했다. 조교나 학생들에게는 집중하기 위해서라고 핑계를 댔지만, 다들 의심스러운 눈초리로 쳐다봤다.

2

아이가 생긴 후로는 주말마다 처가에 얼굴을 내미는 게 관례가 되었다. 속마음이야 집에서 한가롭게 쉬고 싶지만, 장인 노무라가 '손자 얼굴이 보고 싶다'고 하니 거절할 수도 없는 일이었다. 그 주 토요일도 히토미와 아들 다쿠야를 데리고 조후 시에 있는 호화로운 저택을 방문했다. 부지가 150평이나 되고, 근사한 일본식 정원까지 갖춰져 있다.

다쓰로는 머지않아 자기도 이 집에 살게 되겠지 하는 막연한 생각을 한다. 히토미가 도심을 좋아해서 지금은 같이 살지 않지만, 부모가 원한다면 다쓰로에게는 발언권이 없을 것이다.

"다쿠야짜~앙. 할아버지예~요!"

노무라가 만면에 미소를 띠며 거실에서 세 살짜리 손자를 번쩍 안아 올렸다. 다쓰로의 시선은 자연스레 노무라의 이마 경계선으로 쏠렸다. 가까이서 보니 놀라울 정도로 곧게 뻗은 일직선이었다. 백이면 백, 가발이라는 걸 알아차릴 것이다. 별반 자세하게 관찰하지 않아도 금방 눈에 띄기 때문이다.

"할아부지~." 다쿠야가 재롱을 떨며 머리 쪽으로 손을 뻗친다. 노무라는 당혹스러운 표정을 지으면서도 교묘하게 머리를 피하며 손자를 끌어안는다.

매번 일어나는 일인데도 다쓰로는 그때마다 조마조마한 심정으로 바라본다. 혹시 다쿠야가 가발을 잡아당긴다면 노무라가 어떤 표정을 지을까. 상상만으로도 몸이 움츠러든다.

"다쿠짱 유치원은 결정했니?" 장모가 물었다.

"내후년이라 아직." 히토미가 대답했다.

"빨리 정하는 게 좋아요. 이름 있는 사립은 이사장 추천도 필요하잖니."

"하긴 그러네, 생각해둘게."

모녀가 그런 대화를 나누고 있다.

다쓰로는 아이 교육에 관해서는 아는 게 전혀 없다. 평범한 샐러리맨 가정에서 자라나 장학생이 된 다쓰로에게는 노무라 집안이 생전 처음 접하는 인텔리 가정이었다. 저녁식사에 와인을 마신다, 처음에는 그것만으로도 기가 죽었다.

다쿠야가 소파로 기어 올라가 노무라의 어깨에 올라타려고 한다. "이런, 이런." 노무라는 무척이나 좋아하면서도 손자의 두 손을 꼭 붙들고 자유롭게 놔두지 않는다. 방어하는 걸까, 무의식적인 행동일까.

다쓰로는 등을 돌리고 아예 쳐다보지 않기로 했다. 가발이 조금이라도 비뚤어진다면……. 그 순간을 목격하고 싶지 않았다.

"다쿠야! 버릇없이." 히토미가 야단을 치자, 아들은 엄마가 시키는 대로 얌전히 미니카를 타고 놀기 시작했다.

다쓰로는 아내에게 장인의 가발에 관한 이야기를 들은 적이 없다. '우리 아버지, 가발이거든.' 그렇게 말해주면 이쪽도 마음이 가벼워질 텐데. 그렇다고 자기가 물어볼 용기도 나지 않아, 부부 사이에 건드리면 안 될 금기가 되어버렸다.

다쓰로에게는 몇 가지 의문이 더 있다. 첫째, 노무라는 남들이 자기 가발을 알아채지 못할 거라고 생각하는 걸까. 만약 그렇다면 낙천주의자다. 둘째, 장모나 히토미는 어떻게 받아들일까. 자기 집이라면 아마 놀림거리가 되었을 것이다. 그렇게 하고 서로 편해진다. 그런데 이 집 여자들은 통 아는 체를 안 한다. 배려하는 마음일까.

잘 때는 당연히 벗겠지. 장모는 매일 그 모습을 볼 것이다. 히토미도 결혼 전에는 보았을 게 틀림없다. 그런데도 머리로 시선이 가지 않는 걸까. "우와, 반짝반짝 미끄럼 대왕" 정도의 가벼운 농담을 어떻게 주고받지 않을 수 있단 말인가. 다쓰로의 상식으로는 수수께끼 같은 가족이 아닐 수 없다.

"다쓰로 군, 연구는 어떻게 되어 가나?" 노무라가 물었다.

"네. 지체 없이 진행하고 있습니다. 학회 때까지는 어떻게든." 이마를 쳐다보지 않으려고 애쓰며 대답했다.

"독일어 수업은 어때? 지난번 시험은 전체적으로 성적이 나빴던 것 같은데."

"죄송합니다. 열심히 한다고 하는데도."

노무라와는 늘 일 이야기만 한다. 다쓰로의 취미는 프로야구고, 노무라는 오페라 감상이다. 공통 화제가 없다.

저녁은 다이닝룸에서 먹는다. 장모와 히토미가 손수 만든 요리다. 텔레비전이 없으니 대화를 나누며 먹게 된다.

"일전에 우에노 미술관에 갔는데. 대영박물관 보물 전시회를 하더군. 세계 일주를 하는 모양이야."

"난 런던에서 봤는데. 불상 조각 컬렉션은 정말 대단하더라."

"고대 오리엔트 문명도 놀랍잖아. 예술은 영원한 거야."

그런 대화에 낄 수 없는 다쓰로는 말없이 다쿠야가 밥 먹는 것만 도와주고 있다. 노무라 가족의 만찬에서는 늘 긴장하게 된다. 테이블에는 항상 꽃이 장식되어 있다.

"꺼억." 다쿠야가 트림을 했다. "다쿠야!" 곧바로 히토미가 야단을 치며 노려본다.

"히히힛." 다쿠야는 재미있어하는 것 같다. 갑자기 다쓰로도 트림을 해보고 싶었다. "꺼억" 하고 요란한 소리를 내면서. 다쓰로가 자랄 때는 아무렇지 않게 트림을 했다. 누구도 신경 쓰지 않았고 야단치지도 않았다.

하면 어떻게 될까. 노무라는 어떤 눈으로 쳐다볼까.

맥주를 마시고 있으니 언제든 할 수 있다. 목이 꿀꺽 울렸다. 맥박이 빨라졌다.

안 돼, 그럴 순 없어……. 어색한 공기가 흐를 건 불을 보듯 뻔하다.

등을 펴면서 심호흡을 하다 노무라와 눈이 마주쳤다. "와인 맛이 괜찮은데 다쓰로 군도 한잔 어떤가?" 노무라가 앞에 놓인 글라스에 와인을 따르며 말했다. 그러고는 몸을 앞으로 기울였다.

자기도 모르게 가발 경계선으로 눈길이 쏠렸다. 시선이 빨려들어간다. 그 순간 느닷없이 왼쪽 손이 위로 들렸다. 뱀이 대가리를 쳐들 듯이 쓰윽. 노무라가 깜짝 놀라며 얼굴을 쳐들었다.

이 일을 어쩐다. 내가 지금 뭔 짓을 하려는 거지. 다쓰로의 머릿속이 까매졌다.

"으아아아." 신음소리를 내며 글라스를 쓰러뜨렸다. 테이블에 와인이 쏟아졌다.

"아이쿠, 야단났군."

"죄, 죄송합니다." 점점 더 안달이 나서 자리를 박차고 일어섰다. 그 바람에 균형 감각이 흐트러지면서 다쓰로는 의자와 함께 뒤로 넘어갔다. 발이 테이블에 부딪쳐 식탁 전체가 위아래로 요동쳤다.

"왜 이래, 자기!" 히토미의 목소리가 허공에 울려 퍼졌다. 식기들이 요란한 소리를 낸다. 다쓰로는 바닥에 떨어지면서 후두부를 호되게 부딪쳤다. 눈앞에 별이 오락가락한다.

"뭐 하는 거야." "자네, 괜찮은가?" 저마다 한마디씩 했다.

"하하하." 다쿠야 혼자만 웃고 있다.

"저, 그러니까 그게. 죄송합니다." 다쓰로는 횡설수설했다.

황급히 일어나 흐트러진 테이블을 제자리에 돌려놓았다. 손이 바르르 떨렸다.

"자기, 어떻게 된 거야? 얼굴색이 왜 그래."

"아니, 아무것도 아냐."

뺨에 경련이 일었다. 감히 고개를 쳐들 수가 없다. 다쓰로는 등줄기가 서늘해졌다. 방금, 자기는 분명 노무라의 가발을 벗기려 했다. 제멋대로 손이 움직였던 것이다.

노무라의 눈에는 어떻게 보였을까. 사위의 해괴한 행동이.

다쓰로는 자신이 두려워졌다. 언젠가는 정말로 일을 저지를 것 같다.

"까짓, 하면 되지. 트림 정도야."

이라부는 그렇게 말하더니, "꺼억" 하고 목젖을 울리고는 잇몸을 드러내며 웃었다.

"독신이라고 쉽게 말하지 마라. 처갓집이 얼마나 숨통 조이는 곳인지 니가 알기나 해." 다쓰로는 코에 주름을 잡으며 말을 되받았다.

주말에 있었던 일은 트림에 관한 이야기만 했다. 노무라의 가발 이야기는 도저히 털어놓을 수가 없었다. 재미있어하며 소문을 퍼뜨릴 게 뻔하다.

"그런데, 트림을 참는 정도로 손이 떨렸다는 거야?"

"그래. 좀 심하긴 하지." 다쓰로는 거짓말을 했다.

"이케짱, 대학 졸업한 뒤부터 어른스러워졌다던데." 이라부가 커피를 마시며 말했다. "구라모토 무리가 한 애긴데, 내 귀까지 들어온 거야. 노무라 교수 딸과 결혼한 후로 점점 더 착실해졌다며. 예전에는 파티 사회자도 하고 그랬지, 왜."

"구라모토가 그렇게 말해?"

"다들 그래. 재미없어졌다고. 그래서 무의식적으로 억압받는 거 아냐?"

다쓰로는 생각에 잠겼다. 분명히 학생 시절에는 여러 사람 앞에서 떠들어대길 좋아했다. 장난도 잘 쳤다. 대학 창립자 동상에 훈도시를 채운 것은 거칠고 품위 없는 행동을 하며 으스대던 젊은 시절의 자기 모습이었다.

"다시 한 번 성격을 바꿔보면 어때? 아침마다 간호사 엉덩이를 더듬는다거나."

"바보 같은 소리. 성희롱이라고 난리칠 게 뻔하지."

"그럼, 책상 서랍 속에다 장난감 뱀을 몰래 숨겨둔다거나."

"간호사 센터에서 항의할 텐데."

"그런 행동을 1년 동안 계속해봐. 그럼 주위에서도 포기해. 성격이란 건 기득권이야. 저놈은 어쩔 수 없다고 손들게 만들면 이기는 거지."

다쓰로는 말없이 커피 잔을 입으로 가져갔다. 동의하진 않지만, 이해는 간다. 뻔뻔스러운 인간은 그 뻔뻔스러움을 주위 사람들에게 익숙해지게 만듦으로써, 점점 더 뻔뻔스럽게 변해간다. 이라부가 바로 그런 경우다. 학생 때 이라부는 방귀를 뀌어도 '아아, 이라부야'라며 대수롭지 않게 넘겼다.

"파괴충동 쪽은 어때. 비상벨 아직 안 눌렀어?"

"설마 누르겠냐, 그런 걸." 다쓰로가 인상을 썼다. "하긴, 뭔가 저질러버릴 것 같은 징후는 수없이 많아."

"예를 들면?"

"우울증 환자의 암울한 이야기를 듣다 보면, 문득문득 '그럼 확 죽어버리지'라고 말해버리고 싶어. 죽어라 이를 악물고 견뎌내야 해."

"그런 소린 나도 못하는데."

"당연하지. 말하면 끝장인데."

"그거 말고는?"

"학생들과 해부실험 마친 후에, '자, 이제 곱창 구이나 먹으러 갈까'라고 놀려주고 싶어진다거나……."

"하하하. 슬슬 알 것 같다. 이케짱, 그러니까 내키는 대로 제멋대로 굴고 싶단 말이지. 주위 사람들에게 빈축을 살 만큼."

"으음, 그 말이 맞네. 듣고 보니……." 다쓰로는 가벼운 한숨을 쉬었다. "난, 경비를 속여먹는다거나 약품을 부정 유출시키고 싶은 욕심 같은 건 없어. 음흉하지도 않고 잔머리도 못 굴리니까. 그런데 고지식하고 융통성 없는 수간호사를 보면 뒤에서 몰래 무릎 꺾기 장난을 치고 싶어져서 마음이 설렌단 말이지."

"이케짱, 아무래도 동심으로 돌아가서 철없이 굴어봐야겠다. 30대 중반인 지금이야말로 가스를 한번 빼줄 필요가 있어." 이라부가 소파에 파묻혀 짧은 다리를 무리하게 꼬았다.

"그럴까."

"음, 꼭 한번 해보고 싶었는데 못 해본 장난 같은 거 있어?"

이라부의 질문에 잠시 생각에 잠겼다. 낙서, 치마 들추기, 신사(神社) 감 서리. 할 만한 장난은 다 해봤다. 아아 그렇지, 신사…….

"이라부, 무지 한심한 말인데 괜찮겠냐." 다쓰로가 물었다.

"물론이지. 그쪽이 더 나을지도 몰라."

"저기 말야, 나, 고등학교를 시부야 공립학교에 다녔는데, 근처에 '곤노우(金王) 신사'라는 데가 있었거든."

"응, 알아. 나미키바시 앞이잖아."

"그래그래. 그 나미키바시 교차점을 지나서 언덕을 올라가다 보면 중간쯤에 육교가 있고, 거기에 '곤노우 신사 앞(金王神社前)'이라는 이정표가 붙어 있어. 버스 타고 그 아래를 지나칠 때마다 반 친구들이랑 야, 저 '王' 자에 점 하나 찍어서 '긴타마(金玉, 불알을 뜻하는 속어) 신사 앞'으로 만들고 싶다……."

"크하하" 이라부가 배를 움켜쥐고 웃어댔다. "아무도 하진 않았고?"

"아무래도 주저하게 되지. 매달리는 것도 위험하고."

"그럼, 오늘밤에 할까?" 이라부가 마치 마작이나 한판 할까 하는 어투로 말했다. "보상행위의 일환으로. 어때, 재밌을 거 같은데."

"뭔 소릴 하는 거야." 다쓰로가 어이없다는 표정으로 말했다. "대학 안에서 하는 장난이 아니야. 공공시설물이란 말야. 붙잡히면 어쩌려구."

"괜찮아. 안 붙잡혀."

"무슨 근거로 그런 말을 하냐."

"그럼 붙잡힐 거라는 근거는?"

"사람이 육교에 매달리는 일이야. 누군가가 목격할 거고, 그럼 곧바로 경찰에 알릴 거 아냐."

"괜찮아, 끄떡없어. 헬멧을 쓰면 작업 인부인 줄 알 거야." 이라부가 아무 상관 없다는 표정으로 손을 좌우로 흔들었다. "그럼, 페인트나 로프는 우리 병원 비품으로 준비해둘 테니까 오늘

밤 열 시에 곤노우 신사 앞에서 만나."

"야, 네 멋대로 결정하면 어떡해."

"괜찮다니까, 글쎄." 다쓰로의 말은 무시당했다. "자, 이젠 주사 타임. 어~이, 마유미짱."

무뚝뚝한 간호사가 걸어 나와 주사대에 팔을 묶었다. 무심결에 미니스커트 가운으로 시선이 쏠렸다. 이 여잔, 대체 뭐야?

"아가씨, 간호사 자격증은 있는 거지?" 넓적다리까지 과감하게 드러낸 여자에게 그렇게 물어보자, 매서운 눈초리로 째려보더니 난폭하게 바늘을 찔렀다.

"아야야야!" 비명을 질렀다. 그건 그렇다 치고, 자기는 왜 시키는 대로 가만있는 거지. 이라부나 간호사나, 모두 한통속인 이 진찰실은 흡사 유원지 관람차 같다. 일단 타면 일주하는 동안, 그 페이스에 맞출 수밖에 없다.

있을 수 있는 일인가, 밤 열 시에 다쓰로는 곤노우 신사 앞에 서 있었다. 청바지에 점퍼, 운동화를 신은 가벼운 옷차림으로. 검은색 점퍼를 입은 이유는 두말할 것도 없이 눈에 뜨이지 않기 위해서다.

자기도 모르게 결국 나오고야 말았다. 자기 의지가 희박하여, 마치 뭔가에 조종되고 있는 듯한 느낌이었다. 아내에게는 옛 동급생 병원에서 당직 아르바이트를 한다고 거짓말을 꾸며댔다. 시간이 꽤 흐른 후, 이라부가 포르셰를 타고 나타났다. 위아래가 붙은, 작업복 같기도 하고 낙하산복 같기도 한 차림새였다. 유원지에서 흔히 보는 캐릭터 인형 복장 같은 분위기라고 할까.

"와아, 이거 꽤 두근거리는데." 이라부가 거침없이 웃어젖혔다. "이것 봐." 구급대원이 쓰고 있던 걸 벗겨 왔다며 헬멧까지 내밀었다.

"저어, 이라부. 페인트는 좀 곤란할 거 같아. 검은색 테이프로 하는 게 어때. 내가 문구점에서 사 왔는데."

다쓰로가 그렇게 제안했다. 테이프는 곧바로 떼어낼 수 있고, 흔적도 남지 않는다. 만약 형사 사건이 되더라도 기물파손죄는 면할 수 있다.

"싫어, 싫어. 이케짱, 왜 시작하기 전부터 기가 죽어서 그래." 이라부가 헬멧을 눌러 썼다. 사이즈가 작아서 마치 큰 혹처럼 보인다. "페인트로 해야 재밌지. 쉽게 못 지우니까 훨씬 가치 있잖아."

"가치라니, 이것 봐……."

"자, 시작한다. 로프 잡아."

이라부가 굵은 공사용 로프를 건넸다. 그러고는 도구 한 벌을 모두 갖춘 대형 공구상자를 들고 부리나케 걸어갔다. 이라부의 행동에는 망설임이라곤 찾아볼 수 없었다.

다쓰로는 하는 수 없이 뒤를 따라갔다. 계단을 올라가 육교 한가운데서 멈춰 섰다. 주위에 인적은 없지만, 아래쪽 도로에는 차들이 빈번하게 달린다. 난간을 짚고 아래를 내려다보며 침을 꿀꺽 삼켰다.

"야 이거, 떨어지면 죽겠는데." 가을 밤바람이 머리칼을 흩날렸다.

"걱정 마. 내가 확실히 잡아줄 테니까."

"나보고 하란 말야?" 다쓰로가 얼굴을 일그러뜨리며 물었다.

"당연하지. 네 치료 때문에 하는 건데."

"치료라니……." 꺼져 들어가는 목소리로 말했다.

하긴, 이라부의 몸무게로 육교에 매달리는 건 지나친 도박이다. 아무 생각이 없었나 보다. 얼핏 생각해도 다쓰로의 역할일게 뻔하다.

"자, 허리에 감아." 이라부의 지시에 따라 로프를 허리에 감는다. 준비하고 있는 자신이 이해가 안 된다. 어엿한 성인이니거절하려고 마음만 먹으면 얼마든지 거절할 수 있다. 그러나 한편으로는 묘하게 흥분이 됐다. 잊고 살았던 두근거림이었다.

"붓에다 페인트 먼저 묻혀놓을까."

이라부가 페인트 깡통을 열더니 붓을 집어넣는다. 페인트 점도(粘度)가 높아서 방울방울 떨어질 염려는 없을 것 같다. 이라부의 철저한 준비성에 다쓰로는 감탄했다.

나는 이라부를 얼마나 아는 걸까. 6년간 같은 캠퍼스에서 지내면서도 그다지 신경 쓰지 않았다. 희한한 놈, 주위에서도 그한마디로 끝내버렸다.

만약을 위해 구명줄을 따로 준비해 난간에 동여맸다.

"잘 잡아야 돼."

"걱정 말라니까 그러네." 이라부가 명랑한 목소리로 말을 받았다.

"이라부, 뭐 하나 물어봐도 돼."

"응, 뭔데?"

"너는 왜 이 일을 같이 하는데?"

"그야 재미있으니까."

이라부가 콧구멍을 벌름거린다. 왠지 믿음직하다는 생각이 든다.

좋아, 한번 해볼까……. 다쓰로는 배에 로프를 감았다.

붓을 입에 물고 암벽타기 자세로 육교에 매달렸다. 콘크리트 벽에 양발을 딛고 밀었다. 발 바로 아래에 '王' 자가 보였다.

오른손으로 붓을 잡고 손을 뻗었다. 아래쪽 도로로 택시가 지나간다. 무슨 일인가 싶어 위를 올려다보는 운전사와 시선이 마주친다. 그다지 이상하게 보는 것 같지는 않다. 워낙 당당하게 하니 의심도 안 하는 것 같다.

어차피 할 바엔 점을 멋지게 그려 넣고 싶었다. 한눈에 낙서라는 걸 알아챌 수 있는 게 아니라, 어색하지 않은 '玉' 자가 되도록.

신중하게 페인트칠을 했다. 겨드랑이를 붙이고 붓을 놀렸다. 본래 서체에 어울리는 둥그스름한 점을 찍는 데 성공했다.

"이라부, 다 했어. 올려."

"오케이~."

이라부가 체중을 실어 로프를 잡아당기자, 다쓰로의 몸이 스르륵 딸려 올라갔다. "됐어, 얼른 내려가서 어떤지 구경해야지." 다쓰로는 짐을 챙겨 서둘러 계단을 뛰어 내려갔다.

멋들어진 '불알 신사 앞(金玉神社前)'이 완성되었다. 모르는 사람이 본다면 애초부터 신사 이름이 그런 줄 알 것 같은 글씨였다.

"예~쓰!" 다쓰로가 나지막한 소리로 외쳤다. "잘했어." 이라부와 하이파이브를 했다.

이상야릇하게 몸이 가벼워지는 느낌이 들었다. 줄곧 등에 지고 있던 물건을 내려놓은 듯한, 공중으로 떠오르는 듯한 이미지가 그려졌다. 자연스레 얼굴도 활짝 피었다.

"나, 매일 멀리 돌아도 이쪽으로 출근하게 될라나." 다쓰로가 말했다.

"무슨 일 있거든 보고해. 이 주변에 학교가 많으니 중고생들이 난리가 날 테지." 이라부가 대답했다.

아이들이 즐거워할 광경을 상상하니 저절로 미소가 번졌다. "하하하하하." 가스를 빼내듯 시원스럽게 웃어젖혔다. 이런 상쾌함을 느껴본 게 얼마 만인가.

한참 동안 '金玉神社前'이라는 글자를 바라보고 서 있었다. 땀이 밴 살갗을 스치는 밤바람이 상쾌했다.

3

'金玉神社前'의 수명은 고작 사흘이었다. 육교 색깔과 같은 페인트를 덧발라 '玉'의 점을 없애버렸기 때문이다. 하지만 그 부분만 새 페인트라 부러 지웠다는 흔적까지 감출 수는 없었다.

시끌벅적했겠지. 다쓰로는 하교하는 학생을 붙잡아 물어보고 싶은 충동에 휩싸였다.

틀림없이 화제가 되었을 것이다. 아이들은 무척 재미있어하고, 어른들은 얼굴을 찡그리면서도 웃음을 터뜨렸을 것이다. 그리고 뒷이야기를 주고받았을 테지. '대체 누가 저런 짓을 했담'이라고. 다쓰로는 자기가 했다고 말하고 싶었다. 완전범죄를 저지른 범인들은 틀림없이 자기 이름을 알리고 싶어 견디기 힘들 것이다.

다쓰로는 요 며칠 기분이 좋았다. 밤에도 푹 잤고 어깨도 뻐근하지 않았다. 무엇보다 자신감이 되살아났다. 대담한 일도 너끈히 할 수 있다는 자신감이.

"뉴스에 나오면 더 재미있었을 텐데." 이라부는 못내 아쉬워했다.

"그럴 정도는 아니잖아. 조금 공을 들인 장난 수준이지."

다쓰로는 볼이 터져라 입 안 가득 과자를 넣고 우물거렸다.

벤치에 드러누워 느긋하게 쉬었다. 이라부의 진찰실에는 일주일에 사흘 정도 다녔다. 어쩐지 학창시절 친구 하숙집에 들르는 것 같은 편안함이 느껴졌다.

"그래도 계속하면 뉴스가 될지도 모르지. 가끔 고마바 근처를 지나가는데, '도쿄대 앞(東大前)'이라고 써 붙인 육교가 있거든. 다음에는 거기다 점을 찍어서 '도켄(東犬, 실제로는 없는 단어로 '투견'과 일본어 발음이 같다) 앞'을 만들어볼까?"

이라부가 말했다. "진심이냐?" 다쓰로가 쓴웃음을 웃었다.

"도쿄대학은 매스컴에서 소재로 삼을 가능성도 높잖아."

"그렇긴 하지, '불알(金玉)'하고는 다르게 '개(犬)' 자에는 모멸하는 뉘앙스가 풍기니까."

"그런가. 개, 귀여운데……." 이라부가 입을 삐죽거렸다. "그럼 북구의 '오지 세무서 앞(王子稅務署前)'을 '다마고(玉子, 달걀) 세무서 앞'으로 하는 건?"

"뭐, 그쪽이 나을지도 모르지. 귀엽게 받아들일 거 같기도 하고."

"그 다음엔 시나가와 구(區)의 '오이 1가(大井一丁目)'를 '덴동(天丼, 튀김덮밥) 1가'로 만들 수도 있지."

다쓰로는 머릿속에 문자를 떠올려보고는 배를 잡고 웃었다. "이라부, 네가 그렇게 빠릿빠릿한지 상상도 못 했다."

"아니, 며칠 동안 도쿄 지도를 보면서 장난칠 만한 지명을 찾았어."

"에라 이 할 일 없는 인간아~." 눈물까지 나왔다.

"우선, '오지 세무서' 부터 가볼래. 이삼 일 안에."

"응…… 그럴까." 다쓰로는 쓴웃음을 지으며 고개를 끄덕거렸다.

설마하니 서른여섯이나 먹은 사람이 이런 일에 가슴이 뛸 줄은 꿈에도 상상하지 못했다. 다시 열여덟 시절로 되돌아간 기분이다. 아무 책임도 없고 미래에 대한 불안도 없던 그 시절로.

대학병원에서는 전보다 행동거지가 밝아졌다. 잔뜩 긴장했던 어깨도 힘이 빠져 부드러워졌다. 동료들에 대한 묘한 우월감도 솟아났다. 탈선하는 것도 나쁘지 않다는 생각이 들었다.

다쓰로는 간호사 센터에서 젊은 간호사들에게 농담을 툭툭 던졌다.

"나도 커피 한 잔만 조~용필."

몇 초간 사이가 뜨지만, 이내 모두들 웃음을 터뜨린다.

"선생님, 지금 '아저씨 개그' 하시는 거예요?"

"이런 분인지 전혀 몰랐어요" 하는 반응도 있었다.

"어떤 사람인지 알았는데?"

"예의범절이 깍듯한 분이라고 생각했죠." 그 말투는 어느 때보다 친근감이 느껴졌다. 사무적이지 않은 젊은 아가씨 그대로의 탱글탱글한 목소리였다. 누구나 농담을 좋아하는 것 같아, 다쓰로도 기분이 좋아졌다.

그쯤 되니 긴짱하시리도 시도해보고 싶어졌다. 이젠 저항감 없이 할 수 있을 것 같았다.

복도를 걷고 있는데 때마침 병원 안내방송에서 이름을 불렀다. 다쓰로는 미친 척하고 실행에 옮겼다.

"신경과 이케야마 선생님, 이케야마 선생님. 응급 제1내과까지 급히……."

"네, 네~이." 밝은 목소리로 대답한 뒤, 몸을 옆으로 틀고 뛰기 시작했다.

지나치던 간호사가 화들짝 놀라 그 자리에 멈춰 섰다. 대담하게 보이고 싶어서 미소까지 던졌다. 소아과 앞에서는 아이들에게 손을 흔들었다. 재미있어하는 아이들의 얼굴을 보니 덩달아 기분이 좋아졌다.

벽 하나를 다시 뛰어넘은 기분이 들었다. 자유라는 건 분명 자기 손으로 붙잡는 것이다.

하지만 낮에는 여전히 커튼을 쳐놓는다. 노무라의 머리가 눈에 띄는 순간부터 비지땀이 흐르기 때문이다.

그날 오후, 교수회의에 참석해야 할 일이 생겼다. 프로젝터를 사용하는 설명이 있다며 기기조작을 맡아달라는 부탁을 받았다.

회의실로 가니 외과의사 구라모토도 와 있었다.

"어, 너도 보조야?"

"난 서기. 영사기 담당자랑 같은 취급을 받아서야 되겠

162

나……." 구라모토가 입 꼬리를 추켜올리며 말했다.

"멍청아. 기사(技師)가 신분이 더 높은 거 몰라?" 과가 달라서 편하게 농담을 주고받는다.

외과 교수들이 모여들었다. 그들을 보고 있으면 대학 의학부가 얼마나 정치적인 곳인지 금방 알 수 있다. 교수 추천을 받는 데 중요한 건 논문이나 연구 업적이 아니다. 아부와 지연, 혈연, 그리고 선배교수의 연구 영역을 침범하지 않는 약삭빠른 눈치다.

끝으로 노무라가 나타났다. 다쓰로는 꿀꺽 하고 침을 삼켰다. 아뿔싸, 노무라가 교수회 의장이니 그가 출석하는 건 당연한 일이었다. 맥박이 빨라지기 시작했다.

"나는 어디쯤 앉으면 될까?" 자못 관록이 밴 목소리였다.

노무라는 최근 의국 인사(人事)문제까지 입김을 넣는다. 주위에서 떠받들어주니까 자연히 왕처럼 굴게 되는가 보다.

"오늘은 영상이 준비되어 있으니 저쪽 스크린 맞은편으로." 시중을 드는 교수가 안내했다. 뒤쪽에서 노무라가 다가왔다. 다쓰로가 목례를 하자 가볍게 고개를 끄덕였다. 공사(公私)를 구분하고 싶어서인지 학교에서는 말을 시키는 일이 거의 없다.

"어어, 여기가 좋겠군. 특별석이야." 노무라가 선택한 자리는 프로젝터가 놓인 테이블 바로 앞이었다. 다쓰로는 어찌할 바를 몰랐다. 노무라의 머리가 코앞에 보이는 것이다.

심장 박동이 급격히 빨라졌다. 차를 준비하는 시늉을 하며 구라모토 곁으로 다가갔다.

"야, 내가 기록할 테니까 좀 바꿔줘라."

"무슨 소리야. 업무명령인데. 우리 멋대로 바꾸면 눈밖에 난다구."

야멸치게 거절했다. 회의가 시작되었다.

먼저 각 위원회 보고가 있고, 교수부장이 사회자를 맡아 진급 문제로 의제를 옮겨간다.

다쓰로는 기기 바로 옆 의자에 앉아 대기하고 있었다. 테이블 앞이 노무라의 뒤통수다. 손을 뻗으면 닿는 거리. 무심결에 넋을 잃고 바라보았다.

새삼스레 찬찬히 관찰해보니 노무라의 가발은 머리의 70퍼센트가량을 덮는 것이었다. 가마는 없다. 아니, 소용돌이 같은 게 있긴 한데, 거기에 본래 있어야 할 맨 살갗이 보이지 않는다.

흰머리까지 드문드문 섞인 모양새에는 두 손 들었다. 검은머리로만 하면 사이드와 밸런스가 맞지 않기 때문이겠지.

그건 그렇다 치고, 어찌 저리 당당할 수 있단 말인가. 다쓰로로서는 이해하기 어려웠다. 부자연스러운 경계선 언저리는 초등학생이 봐도 알아챌 수 있다.

레지던트 시절, 노무라가 간사이에 있는 방계 병원 원장으로 3년간 근무하고 나서 모교로 다시 돌아왔던 날을 또렷이 기억한다. 모두가 눈을 어디에 둘지 몰라 당혹스러워했다. 반짝반짝 빛이 나야 할 머리에 가발이 덮여 있었기 때문이다.

처음에는 학생이나 젊은 의국 직원들에게 웃음거리를 제공했다. 모두들 뒤에서 '가발교수'라고 불렀다. 그런데 다쓰로와 히토미의 약혼 소식이 알려지면서 다쓰로의 귀에는 그런 소리가 일체 들어오지 않았다. 당연하다면 당연한 일이지만, 친구를 잃은 기분이 들었다.

지금도 자기가 모르는 곳에서는 '가발교수'라고 부르고 있을까. 무리 바깥으로 밀려나는 건 몹시 허전한 일이다.

정신을 차려보니 테이블 위에 팔꿈치를 괴고 노무라를 뚫어져라 쳐다보고 있었다. 시선이 점점 빨려들었다. 정면으로 제대로 쳐다보는 건 이번이 처음이다.

사회자가 사무장에게 역할을 넘겨받더니 지방에 신설된 민간병원을 소개하기 시작했다. 그쪽에서 아자부가쿠인 대학에 의사 파견을 요청했는데, 계열에 넣을지 말지를 결정하는 회의였다. 그쪽 병원에서 자료 영상을 보내 왔고, 그것을 보고 나서 시찰 여부를 정한다.

"자, 이케야마 군, 커튼을 치지."

사무장 지시에 따라 커튼을 내리고 실내 전기를 껐다. 테이프를 덱에 넣고 재생 스위치를 누른다. 정면 스크린에 영상이 비치기 시작했다. 프레임에 누군가의 머리 그림자가 어른거렸다. "엇, 미안!" 노무라가 그렇게 말하며 몸을 구부린다. 의자에 깊이 파묻혀 앉은 모양새가 되어, 노무라의 머리는 밭에 뒹구는 수박처럼 테이블 끝으로 삐죽 올라왔다.

다쓰로의 목젖이 울렸다. 암흑 속에서 시선이 한군데 못 박히고 말았다.

"시설은 꽤 충실해 보이지 않습니까."

"환경도 좋을 것 같군요."

"항구가 가까워서 생선 맛이 좋다고 하더군요."

"어어, 그거 중요하지."

교수들이 온화한 분위기 속에서 이야기를 나누고 있었지만, 다쓰로의 귀에는 들어오지 않았다. 노무라의 머리가 살짝 흔들거렸다. 깜빡 잠이 든 모양이다.

다쓰로는 자석에 이끌리듯 몸을 앞으로 쓰윽 내밀었다. 양손이 가늘게 떨렸다. 충동이 용솟음쳤다. 가발을 잡아당겨 볼까. 아무도 이쪽을 보지 않는다.

의외로 쉽게 벗겨버릴 수 있지 않을까. 풀칠을 해놓았을 리는 없고, 아마 핀 같은 게 있겠지. 삐까뻔쩍 학부장. 방에 불이 켜지는 순간, 교수들은 어떤 표정을 지을까.

두뇌가 마비되는 감각이 느껴졌다. 눈이 핑핑 돈다, 바로 그 느낌이다. 정신을 차리고 보니 이미 손을 뻗어 두 손으로 가발 끝을 붙잡고 있었다. 위쪽으로 똑바로 살며시 잡아당긴다. 가발이 쓱 들린다. 벗길 수 있다는 확신이 생겼다. 의식이 몽롱해졌다. 제 눈으로 외부에서 자신을 바라보는 듯한 느낌이었다.

그때 문득 누군가의 시선이 느껴졌다. 뒤를 돌아다봤다.

구라모토가 경악한 표정으로 쳐다보고 있었다. 두 눈을 휘둥그레 뜨고, 한 손에는 펜을 꽉 움켜쥐고 있었다.

다쓰로는 감전이라도 된 듯이 재빨리 손을 빼냈다. 순간적으로 온몸이 후끈 달아올랐다.

구라모토는 황급히 시선을 돌리더니 퍼렇게 질린 얼굴로 책상을 내려다봤다. 어슴푸레한 실내에서도 또렷이 느낄 수 있었다.

들켰다…… . 다쓰로는 극심한 낭패감에 빠졌다. 이 일을 어찌하면 좋단 말인가. 결국 들켜버리고 말았다. 아무에게도 들키고 싶지 않은 어두운 부분을 엿보이고 말았다. 심장이 사정없이 방망이질 쳤다. 호흡이 가빠졌다. 지금 자기 행동에는 변명의 여지가 없다.

게다가 만약 구라모토의 시선을 느끼지 못했다면, 실제로 노무라의 가발을 벗겼을 거라 생각하니 온몸이 후들거렸다. 조금 전 자신에게는 브레이크가 없었다. 심신박약은 분명 이런 것일 게다.

다쓰로는 생생한 광기를 체험했다. 이런 상태라면, 언젠가 노무라의 가발을 실제로 벗기고 말 것이다. 어쩌면 내일 저지를 일인지도 모른다.

온몸에 땀이 배어났다. 장난기 어린 쾌감 같은 건 멀리 사라진 지 오래다. 이라부가 말한 보상행위인지 뭔지는 아무런 효과도 없다.

"왜 그래, 얼굴색이 영 아닌데." 이라부는 변함없이 무사태평이었다.

"말했잖아. 충동이 전보다 더 강해졌다고. 네가 말하는 보상 행위라는 거 억제 효과가 있긴 있는 거냐?"

다쓰로는 일을 마치자마자 이라부의 진찰실로 달려간 참이었다. 혼자 있으면 불안해서 견딜 수가 없었기 때문이다.

"있어." 이라부가 코를 후비며 말한다. "틀림없이 있다니까, 반드시."

"이것 봐." 다쓰로는 머리를 들이밀며 하소연했다. "엉터리 같은 소리 작작 해. 나, 이대로 가다간 돌이킬 수 없는 일을 저지를 것 같단 말이야."

"살인 같은 거?"

"멍청한 자식. 그건 비약이 지나치지. 그렇게까지 하겠냐." 목소리가 거칠어졌다.

"그럼 뭔데?"

"……." 다쓰로는 말문이 막혔다. 역시 노무라의 가발 건은 입 밖에 내고 싶지 않다. "어쨌거나 대학에 남아 있을 수 없는 일이야."

"말을 안 하면 치료도 안 되지." 이라부는 속까지 훤히 들여다보듯 말했다. "숨기는 게 있는 환자를 치료할 수는 없어. 정신과는 이인삼각 경기 같은 거야."

가만히 듣고 있었다. 분명 혼자 싸안고 있는 동안은 고칠 수가 없다. 그래도 싫다.

"하긴, 뭐 급할 거 있냐. 느긋하게 생각해라." 이라부가 히죽 웃는다. "아무튼 오늘밤은 오지 세무서로 간다."

"너, 제정신이냐? 됐다, 이젠." 다쓰로가 인상을 찌푸리며 말했다.

"아잉, 하자. 도중에 그만두는 게 제일 나빠."

"부탁한다. 제발 좀 그만해라."

"가만있다고 낫는 게 아니야. 정신과의 기본이 트라이 앤 에러잖아."

"뭐 그렇긴 하지만……" 자기도 모르게 한발 물러섰다.

다쓰로는 자신이 한심스러웠다. 나름대로 연구 성과를 올리고 있으면서도, 정작 본인 문제가 되고 보니 어쩔 도리가 없다. 물에 빠진 사람이 스스로를 구해낼 순 없다.

오지 세무서에는 밤 열한 시에 도착했다. 지난번과는 달리 육교는 국도 위에 설치되어 있었다. 2차선 일방도로 위로 자동차가 쉴 새 없이 달리고 있었다.

"야, 정말 할 거야?" 다쓰로는 불안감에 휩싸였다. 눈에 띄는 건 불가피한 일이다.

"해야지. 여기까지 왔는데."

이라부는 태연하게 준비하고 있다. 대단한 배짱이다. 뭔가가 결여되어 있는지도 모를 일이지만.

하는 수 없이 다쓰로도 거들기 시작했다. 이렇게 휩쓸리는 거겠지. 마음속으로 중얼거린다. 그렇지만 기대고 싶은 마음도 있었다. 누군가가 시키는 대로 하고 싶었던 것이다.

육교로 올라가 로프를 몸에 감았다. 페인트를 묻힌 붓을 입에 물고, 난간에 다리를 올렸다. "신호 바뀐다, 지금이야." 이라부에게 등을 떠밀려 허공에 매달렸다.

두 번째라 긴장감은 없었다. 지나는 행인도 있었지만, 헬멧을 눌러쓰고 당당하게 행동하는 탓인지, 슬쩍 한번 쳐다볼 뿐이다.

'王子稅務署' 를 '玉子稅務署' 로 바꿨다. 썩 괜찮은 솜씨다.

육교를 내려와 도로에서 글자를 올려다본다. "흠" 다쓰로는 쓴웃음을 지었다. 서른여섯이나 먹은 사람이 무슨 짓을 하고 있는 건지.

야릇한 기분은 들었지만, 지난번처럼 흥분되지는 않았다. 분명 단 한 번뿐인 발산이었던 것이다. 하긴 당연한 일이다. 자기는 어엿한 성인이다.

"음푸후후후." 옆에서 이라부가 으스스한 소리를 내며 웃는다. 콧구멍을 벌름거린다. 아무래도 꽤 흥분한 것 같다.

"내친 김에 도쿄대 앞에도 가지 뭐." 이라부가 말했다.

"미쳤어?" 다쓰로가 미간을 찌푸렸다.

"뭐 어때. 기세를 몰아가야지, 기세를."

"너…… 실은 네가 하고 싶은 거지?"

"치료라니까 그러네, 치료."

물론 믿지 않았다. 흥분한 건 오히려 이라부 쪽이다…….

"엉, 가자, 가자."

이라부에게 등을 떠밀려 포르셰에 올라탔다. 맞설 기력도 더이상 남아 있지 않았다.

다음날 석간에 다쓰로와 이라부가 한 일이 기사로 실렸다. 역시 '東犬前'은 위력이 있었던 것 같다. 시부야 지역구 안에서 이미 '金玉神社前' 전례가 있었던 만큼 기묘한 사건으로 다뤄진 것이다.

〈누구의 장난인가? 시부야 구(區) 육교 이정표 개조 사건〉

고등학생이 디카폰으로 찍은 '金玉神社前' 사진이 실려 있었다. 하지만 기사에는 '불알(金玉)'이라는 직접적인 언급 없이 '金玉이라는 글자를 바꿔 썼다'고 애매하게 표현했다.

아무래도 '오지 세무서'는 아직 발각나지 않은 것 같다. 지금도 당당하게 존재할 거라 생각하니 '하하하' 하고 메마른 웃음소리가 새어나왔다. 깜짝 놀란 간호사들이 뒤를 돌아다봤다.

"나도 커피, 좀 줘~라기 공원?"

다쓰로는 거의 자포자기하는 심정으로 농담을 던졌다. 간호사들이 이상한 눈짓을 주고받는 게 언뜻 보였지만, 아무래도 상관없었다. 모두 다 성가시다.

이라부도 기사를 읽었는지 전화가 왔다. "야아~, 재밌는데. 이렇게 되면 '튀김덮밥 1가'도 안 할 수가 없겠네." 어린아이처럼 신이 나서 떠들어댔다.

"야, 꼬리가 길면 잡히는 법이야. 신문기사까지 나왔는데."

"괜찮다니까 그러네. 붙잡힌다고 해봐야 기껏 벌금이야. 실제로 손해를 끼친 것도 없는데 뭐. 오히려 오락을 제공하는 거라니까, 우리가."

이 무슨 억지 논리란 말인가. 엄연한 범죄인 것을.

"그럼, 오늘 저녁이야." 제멋대로 결정해버렸다.

끌려 다니는 것만 같다. 다쓰로는 한숨을 내쉬었다. 대체 왜 거절을 못 하는 걸까. 스스로를 파괴하고 싶은 잠재의식이 숨어 있는 걸까. 아내나 장인에게서 도망쳐 편안해지고 싶은 걸까.

일을 마치고 돌아가려고 하는데 구라모토가 불러 세웠다. 교수회의 일이 있는지라 몸이 약간 움츠러들었다.

"벌써 들어가는 건가. 좋겠다, 신경과는. 외과는 수술이다 응급환자다 해서 늘 야근만 하는데 말야." 구라모토가 하얀 이를 드러내며 말했다.

"정시 출근, 정시 퇴근이 신경과 특권이지. 하긴 우리들이 병원에선 유일한 화이트컬러겠지."

"입만 살아가지고." 구라모토가 어깨를 내리치며 말했다. "잠깐 차라도 한잔 어때. 할 얘기가 좀 있는데." 구라모토는 왠지 굳은 표정이었다.

다쓰로는 잠깐 망설이다 그러자고 했다. 구라모토 뒤를 따라 가까운 캠퍼스 카페에 들어가 마주 앉았다.

"친구 사이니까 얘기하는 건데, 실은 간호사 센터에 묘한 소문이 돌아. 요즘 이케다 선생이 이상해졌다는 거야." 구라모토가 목소리를 낮추며 말했다.

"무슨 소리야."

"주의가 산만하고, 갑자기 장소에 안 어울리는 농담을 던진다고……. 그리고 대낮에 왜 연구실 커튼은 내리고 있는 거야."

"내 사무실이 1층이라 정원이 훤히 내다보이잖아. 사람들이 지나다니는 게 거슬려서 그렇지."

"복도에서 이상하게 뛰어다닌다는 건 또 뭐고."

"아아, 긴짱하시리 말이군. 젊은 사람들에게는 먹힐 줄 알았는데."

"긴짱하시리라니……." 구라모토는 어처구니가 없는지 말을 멈춰버렸다. "너, 지금 간호사들 사이에서는 기행을 일삼는 인간이 됐단 말이야."

"그건 좀 심하군." 다쓰로는 씁쓸한 미소를 지었다.

"아무튼, 선배에게 들어보니, 스트레스가 가장 많이 쌓이는 데가 신경과라더라. 그러니까 의사도 각별히 자기관리에 신경 써야 할 거야. 다른 사람한테 진찰이라도 한번 받아보지 그래."

"어어, 실은 받긴 받아. 이라부한테."

"이라부? 너 정신 제대로 박힌 거야. OB 모임 최대의 기인한테 받긴 뭘 받아."

"아니, 그래도 예상외로 많이 좋아졌어. 다음에 '바보가 정신 치료에 미치는 효과'에 관한 논문도 써볼 생각이야."

"헛소리 작작 해. 도대체……." 구라모토가 소리를 낮추며 주위를 둘러봤다. "저번 회의 때는 뭐야. 노무라 선생님이 아무리 장인이라곤 하지만, 그건 단순한 장난으로 끝날 일이 아니야. 그리고 네가 노무라 선생님 어려워한다는 건 나도 다 안다구."

"그래?"

"식당에서도 선생님이 계시면 뒤돌아 나가잖아. 그러면서 머리를……."

"참, 노무라 선생님 가발, 지금도 사람들 입에 오르내리나?"

"알 게 뭐야. 나한테 그런 걸 왜 물어. 간호사나 학생들이라면 몰라도, 우리들 위치가 되면 이미 입에 올려서는 안 되는 말이 된 지 오래지." 구라모토가 노려보며 말했다. "어쨌든, 충고하는데, 다른 의사한테 진단 한번 받아봐라." 구라모토는 자리에서 일어나 천천히 멀어져갔다.

다쓰로는 한 가지 사실에 안심이 되었다. 노무라의 가발은 모두가 의식하고 있다. 틀림없이 학생들은 자기 학생 때처럼 농담을 주고받을 것이다.

4

역시 '튀김덮밥 1가(天丼一丁目)'는 임팩트가 컸다. 연속되는 '육교 이정표 개조 사건'으로 텔레비전에서 하나도 빠짐없이 문제를 삼았다. '달걀 세무서(玉子稅務署)'도 일련의 범행으로 드디어 세상의 빛을 보게 되었다.

"귀엽고 좋아요~"라는 여고생의 거리 인터뷰를 보면서 지지자를 얻은 듯한 생각에 우쭐해졌다. 화제로 삼는 태도도 비판적인 색채는 옅고, '대체 누가 무슨 목적으로?'라는 흥미에 관심이 모아졌다.

"음~, 이케짱. 다음엔 어디에서 할까?" 이라부가 시내 지도를 펼치더니 신이 나서 떠들었다.

"저어, 이라부. 앞으론 위험한 거 아니냐. 틀림없이 목격자 정보 같은 것도 들어갔을 텐데."

다쓰로는 아무래도 걱정이 되었다. 쾌감을 느끼긴 했지만, 불안감이 그것을 짓눌렀다.

"괜찮아, 괜찮아. 붙잡히더라도 미안하다고 하면 끝나."

"난 끝나는 게 아니지. 대학 강사란 말이야."

"짤리면 우리 병원으로 오면 되지." 이라부는 지나칠 정도로 무사태평이었다. "파괴충동은 어때. 좀 완화되지 않았어?"

"글쎄, 어떻게 된 건지." 다쓰로는 콧김을 내쉬며 고개를 흔들었다. 다쓰로의 연구실 커튼은 요즘도 드리워져 있었다. 노무라를 보면 여전히 가발을 벗기고 싶었기 때문이다.

"야, 너 정말로 망가뜨리고 싶은 게 뭔데?"

"응?" 잠시 망설였다. 그냥 말해버릴까, 어차피 구라모토에게도 들킨 마당에. "……저기, 대학에 우리 장인어른 계시잖아."

"응. 노무라 선생. 가발교수 말하는 거지?" 이라부가 실떡거리며 자기 뺨을 찰싹 두드리는 시늉을 한다.

힘이 쪽 빠졌다. 이 얼마나 거리낌 없는 인간인가.

"야 이 자식아. 남의 가족한테……."

"사실인걸 뭐." 이라부가 주눅 든 기색도 없이 입을 삐죽 내민다. "그런데 그 노인네랑 뭔 일 있냐?"

"실은…… 그 가발이 신경 쓰여서 견딜 수가 없단 말이지."

"알겠다. 벗겨버리고 싶은 거지?"

이라부가 재미나다는 듯 미소를 짓는다. 다쓰로는 고개를 푹 수그리고 체념하듯 말없이 고개를 끄덕였다.

"하하하. 이케짱, 최고! 오호라, 근본 뿌리는 옛날이랑 변한 게 없네."

"멍청한 자식. 뭐가 그리 재밌냐. 이쪽은 매일 식은땀이야. 노무라 선생이 점심시간만 되면 정원에서 낮잠을 자는데, 그때마다 몰래 다가가 가발을 벗기는 내 모습이 머릿속에 떠올라서 거의 죽을 지경이야."

"흐음, 그랬군. 이제야 알았어. 그게 원인이었어."

"너, 절대 말하면 안 돼." 다쓰로가 협박이라도 하듯 몰아붙였다. "나한테는 일과 가정 모두가 걸린 문제라구."

"원인을 알면 간단하지. 저질러버리면 돼. 그러면 낫게 돼 있어." 이라부가 아무런 거리낌 없이 지껄였다.

"헛소리 집어치워. 이쪽 입장도 좀 생각해라."

"아잉, 하자~. 교수 가발 벗기기. 너무 재밌잖아." 소파에 파묻혀 아이가 응석을 부리듯 몸을 흔들어댔다.

"안 돼!"

"저질러버리면 파괴충동은 곧바로 사라질 거야. 그게 마지막 목표니까."

"뻔한 속셈 다 알아. 날 부추겨서 실은 니가 하고 싶은 거겠지."

"인생, 길지 않다. 지금 당장 내뱉어야 할 걸 쏟아내지 못하면."

"그게 이유가 되냐." 다쓰로가 눈을 치켜뜨며 말했다. "어쨌든, 아무한테도 말하면 안 돼."

이라부가 대답 대신 짓궂게 눈을 희번덕거렸다. 화가 나서 코를 잡아 비틀었다.

다음날 점심시간, 학교로 이라부가 찾아왔다. 연구실 문을 두드리는 소리를 듣고 조교가 문을 열고 나가자, 흰 가운 차림의 이라부가 빙긋이 미소 지으며 서 있었다.

"너, 설마……."

다쓰로는 말문이 막혔다. 이 자식, 정말 일을 저지를 작정이야, 뭐야.

"감회가 새롭군……. 학교 오는 게 몇 년 만이야. 젊어지는 기분인데."

이라부는 안으로 들어서자마자 창문으로 성큼성큼 걸어가
드리워진 커튼을 기세 좋게 걷어냈다.

"엇, 정원에 잔디까지 심었네. 좋아졌는데. 벤치랑 테이블도
있고 아담한 공원 같은걸."

정원에서 학생이며 수련의들이 점심을 먹고 있었다. 잔디 위
에 드러누워 잠든 사람도 있고, 배드민턴을 치는 그룹도 보였
다. 그리고 전나무 아래에서는 노무라가 등나무 의자에 기대앉
아 책을 읽고 있었다.

"역시, 저쪽이 특석처럼 보인다. 우아한데. 저런 곳이면 낮잠
도 들 만하지."

"이봐, 제발 부탁이니 그만둬. 이쪽은 인생이 걸린 문제라
구."

다쓰로는 심각한 얼굴로 하소연했다. 이번만은 장난으로 넘
어갈 일이 아니다.

"괜찮아. 잠들었을 때를 노릴 테니까."

"알아채면 끝장이야."

"크큭크" 이라부가 기분 나쁜 소리를 내며 웃더니 주머니에
서 작은 병을 꺼내 들었다. "여차하면 이걸 쓰면 돼."

클로로포름이었다. 다쓰로는 아예 고개를 돌려버렸다.

"살짝 벗겨서 정원에 있는 학생들에게 보여준다, 큰 소동이
벌어지기 전에 되돌려놓고 유유히 사라진다, 그러면 퍼펙트야."

"너 바보냐. 퍼펙트는 무슨 퍼펙트."

"절대 들통 안 난다니까. 누가 감히 학부장에게 일러바치겠냐? '선생님 가발을 벗긴 놈이 있었습니다' 라는 말을. 설령 주임교수라고 해도 그런 말은 못 할 거 아냐?"

반박할 말을 떠올리면서도, 한편으론 그럴 듯한 말이란 생각이 들었다. 아무리 많은 목격자가 있다고 한들, 당사자만 잠에서 깨어나지 않으면 들킬 염려는 없다. 물론 소문은 돌 것이다. 그러나 본인 귀에는 절대로 들어가지 않는다. 말할 만한 사람이 없기 때문이다.

"야아, 우물쭈물하는 사이에 노무라 선생, 꾸벅꾸벅 졸기 시작했어"라는 이라부.

정원 쪽으로 시선을 돌리자, 노무라가 무릎에 책을 얹고 끄덕끄덕 고개를 흔들고 있었다.

"이케짱은 촬영 담당이야." 이라부가 다쓰로에게 디지털 카메라를 건넸다.

아무 말도 못하고 순순히 받아들었다.

"그럼, 갈까." 이라부가 앞장서서 걸어 나갔다.

"이, 이봐, 잠깐, 기다려." 안절부절못하며 다쓰로가 그 뒤를 따랐다.

옆에서 자초지종을 듣고 있던 조교는 입을 떡 벌리고 다물 줄을 몰랐다.

정원으로 나가자마자 이라부는 곧장 노무라가 있는 쪽을 향해 걸어갔다. 도중에 발소리를 죽이더니 의자에서 낮잠을 자고 있는 노무라의 뒤쪽으로 돌았다. 그 움직임에는 추호의 망설임도 없다.

이미 잔디 위 여기저기서 무슨 일인가 싶어 쳐다보는 학생도 있다.

다쓰로는 10미터 정도 떨어진 곳에 멍하니 멈춰 서 있었다. 이 일을 어쩌나, 자신도 알 수 없었다. 부두에 서서 출항하는 친구를 배웅하는 기분이었다.

이라부가 노무라의 머리 뒤로 가더니 멈춰 섰다. 지휘자처럼 양손을 쳐든다. 손가락 끝으로 살며시 가발 위를 잡는다.

다쓰로는 온몸이 떨렸다. 저 인간은 완전히 나사가 풀린 상태다……. 주위 갤러리도 얼어붙었다. '어어' 하는 작은 웅성거림이 일었다.

이라부가 가발을 천천히 들어올린다. 뒤통수 쪽 본래 머리칼이 함께 딸려 올라간다.

"이케짱." 이라부가 작은 목소리로 속삭인다. "양옆에 핀이 꽂혀 있는 거 같아. 좀 빼줄래?"

미친놈. 왜 날 끌어들여. 마음속으로 그렇게 외쳤다.

"빨리!" 이라부가 재촉했다. 주위의 모든 시선이 다쓰로에게 쏠렸다.

이를 어찌하면 좋단 말인가. 모두 자기를 이라부와 같은 패라고 생각하고 있다.

"하는 수 없군."

다쓰로가 도와주지 않자, 이라부는 일단 손을 놓고 도라에몽 (일본 애니메이션 캐릭터, 고양이 로봇) 같은 손가락으로 나비 날개를 잡듯이 핀을 빼냈다. 찰칵. 희미한 소리가 들렸다.

"짜~잔!"

이라부가 가발을 들어올렸다. 눈앞에 노무라의 대머리가 훤히 드러났다.

정원에는 백 명가량의 학생들이 있었는데, 누구 한 사람도 입을 열지 못했다. 당연한 반응이다. 모두들 자기 눈을 의심한다.

"이케짱, 사진!"이라고 말하는 이라부.

다쓰로의 오른손이 튕겨지듯 꿈틀거렸다. 그렇다, 자신은 카메라를 들고 있었던 것이다.

떨리는 손으로 카메라를 들고 촬영 포즈를 취했다. 의지와는 무관하게 그렇게 행동하고 말았다. 이렇게 된 바에야 빨리 해치우는 수밖에 없다. 악몽을 꿨다 생각하고 잊어버리는 거다.

이라부가 노무라의 머리 뒤에서 '브이' 자를 그려 보인다. 노무라는 가발을 벗은 본모습이 더 핸섬해 보였다. 최악의 비상사태 속에서도 그런 생각이 들었다.

사진을 찍고 나서 바로 옆에 있던 여대생과 눈이 마주쳤다. "이거, 다큐멘터리예요?"라는 물음에 어색한 미소만 건넸다.

"이케야마!" 난데없이 자기 이름을 불러대는 소리에 놀라 돌아다보니 얼굴이 벌겋게 달아오른 구라모토가 서 있었다. "니들, 제정신이야, 지금." 애써 목소리를 낮추며 외쳤다.

"아니, 그게, 난 아냐." 고개를 절레절레 흔든다.

"돌았냐구. 얼른 제자리에 돌려놓지 못해. 해고 정도로 끝날 일이 아니라구."

"아, 구라모토짱. 너도 기념으로 한 장 어때?" 이라부가 태연하게 말했다.

"이라부, 너 이 자식. 이케야마한테 무슨 짓을 한 거야."

"아무 짓도 안 했어."

노무라를 깨우면 안 되니 모두 속삭이는 목소리다.

이라부가 가발을 자기 머리에 올리고 익살을 떨었다.

"미친놈. 장난칠 일이 아니야."

구라모토가 발소리를 죽이며 달려간다. 이라부를 덮칠 기세다. 다쓰로도 뒤를 쫓았다. 뭐가 뭔지 알 수 없다, 엉망진창이다.

그때, 이라부가 흰 가운 속에서 허연 물건을 꺼내 들었다. 자세히 보니 표면에 찍찍이가 붙은 방망이였다.

"있지, 좋은 생각이 떠올랐어. 이걸로 힘껏 머리를 내리치고 다 같이 도망치자. 정신이 없어서 못 쫓아올 거야."

이라부가 눈을 반짝였다. 순간, 그가 어린애라는 생각이 뇌리를 스쳤다. 어린애니까 두려움도 없다.

"떠오르긴 뭐가 떠올라. 찍찍이 방망이까지 미리 준비해 온 주제에." 다쓰로가 말했다. "너 처음부터 그럴 작정이었던 거지?"

"글쎄, 아무 일 없을 거라니까 그러네. '무궁화꽃이 피었습니다' 놀이 하듯이 뒷걸음질 쳐서 도망치면 알아채지 못한다구."

이라부가 방망이를 번쩍 들어올렸다.

"으아~악." 구라모토가 그 손을 붙들었다. 가발이 떨어져 잔디 위에 나뒹굴었다. "야, 이케야마. 니가 빨리 씌워. 서두르지 않으면 넌 인생 끝장이야. 부인과 애한테 미안하지도 않냐."

온몸에 소름이 돋았다. 그렇다. 나에게는 사랑하는 처자식이 있다. 으으으윽. 치골 언저리에 동통(疼痛)이 느껴졌다.

황급히 가발을 주워 노무라의 등 뒤로 돌아갔다. 구라모토와 이라부는 서로 엉켜 붙어 밀치락달치락한다. 머리 위에 가발을 씌울 자세를 취했다. 손가락 끝이 바르르 떨렸다. 제기랄, 제대로 씌울 자신이 없다.

그 순간 떼밀린 이라부가 다쓰로의 등에 부딪쳤다. 다쓰로는 앞으로 푹 꼬꾸라졌다. 으~악. 마음속으로 비명을 질렀다.

등을 떠밀리는 바람에 노무라의 머리통이 가발 안으로 쏙 들어갔다. 그 참에 핀까지 찰칵하고 채워진다. 세 사람이 한꺼번에 노무라의 등을 들이받는 꼴이 되어 의자째 앞으로 고꾸라졌다.

"어엇. 이게 무슨 일이야." 노무라가 넘어지면서 소리를 질렀다. 동시에 머리통을 감싸 안았다. 오랜 세월 몸에 밴 방어본능인 모양이다.

"죄송합니다. 장난을 좀 치다가 그만." 다쓰로가 생각나는 대로 아무렇게나 내뱉었다. 목소리가 갈라지고 얼굴은 땀으로 번들거렸다.

노무라는 상황을 이해할 수 없는 모양이다. 천천히 일어선다. 경직된 얼굴로 "다쓰로 군이었나. 무례하구만"이라고 나지막한 목소리로 말한다.

"죄송합니다." 다쓰로가 굳은 표정으로 고개를 숙인다. 이라부와 구라모토는 그 와중에도 여전히 잔디 위에서 엎치락뒤치락하고 있다.

"아니, 이라부 군?" 갑자기 노무라의 목소리 톤이 높아졌다. "뭐 하는 건가. 여기서."

"아하, 안녕하세요." 이라부가 잔디에 널브러진 채 인사했다.

"저어, 선생님. 졸업생 이라부 군이 프로레슬링을 하자고 해서." 구라모토가 궁색한 변명을 했다. "죄송합니다. 어엿한 성인이."

이라부와 구라모토가 자리에서 일어났다. 두 사람 모두 잔디 투성이였다.

"이라부 군. 아버님은 건강하신가?" 붙임성 있는 노무라의 목소리가 나무 그늘 아래 울려 퍼졌다. "학부장에 취임해서 인사차 찾아뵈려고 했는데 너무 격조했구만."

"아, 그래요. 아빠에게 전할게요." 이라부가 풀을 떨어내면서 시치미 뗀 얼굴로 말했다.

"의학부에서 자리를 한번 마련할 테니 꼭 참석 부탁드린다고, 그렇게 전해줬으면 하는데."

"응, 그러죠 뭐." 이라부가 히죽 웃으며 고개를 끄덕였다.

언뜻 보니 발아래에 찍찍이 방망이가 떨어져 있다. 다쓰로는 틈을 엿보다가 얼른 주워서 흰 가운 속에 숨겼다.

"대학병원 관계자 분들도 견학하러 오신다고 하니까……."

"그래요. 그럼 후생노동성이나 문부과학성 담당자도 초대하면 좋겠군요."

"아버님 힘으로 부디 그렇게만 해주신다면야……." 노무라의 목소리가 한층 밝고 흥겨워졌다.

잠시 서서 이야기를 나누던 노무라가 먼저 고개를 숙이고 자리를 떴다.

다쓰로와 구라모토가 땅이 꺼져라 한숨을 내쉬었다. 둘이 얼굴을 마주보며 말없이 시선을 주고받았다.

구라모토가 이라부의 멱살을 잡았다. "야, 이 새끼야, 우리한테도 부모 빽이 통할 거 같냐."

"아니." 이라부가 입을 삐죽 내밀었다.

다쓰로는 주위를 둘러보았다. 학생들이 멀찍이 원을 만들어 마치 우주인이라도 쳐다보는 듯한 시선으로 구경하고 있었다. 틀림없이 이 사건은 아자부가쿠인 의학부의 전설이 될 것이다. 노무라의 귀에는 평생 들어가는 일 없이.

갑자기 팔꿈치 끝이 떨렸다. 노무라의 가발을 손에 쥐었던 감촉이 되살아났기 때문이다.

간담이 서늘해져 그 자리에 털썩 주저앉고 말았다. 휴~ 겨우 살았다……. 마음속으로 조용히 중얼거렸다.

"야, 이라부. 이제 네 장난질에는 두 번 다시 안 낀다." 다쓰로가 힘없이 말했다.

"응. 이제 됐어. 나도 충분히 즐겼어." 이라부가 태연하게 대답했다.

구라모토가 다쓰로에게 찍찍이 방망이를 빼앗아 들더니 이라부의 머리통을 있는 힘껏 내리쳤다. 퍽 하는 메마른 소리가 울려 퍼졌다.

"허, 한번 해보겠다 이거지~." 이라부가 구라모토에게 덤벼들면서 두 사람은 또다시 뒤엉키기 시작했다.

다쓰로도 뛰어들었다. 물론 이라부를 혼내주기 위해서다.

구라모토가 겨드랑이 밑으로 양팔을 넣어 이라부의 목덜미를 꽉 조였고, 다쓰로는 양다리를 꺾어 공격을 가했다.

"이 나쁜 새끼."

"쿠아아악." 이라부가 기괴한 소리를 냈다.

차임벨이 울릴 때까지 교전은 계속되었다. 온몸에 풀투성이가 되어 정신없이 나뒹굴었다.

땀범벅이 되고 숨이 턱까지 차올랐다. 장난을 치면서 숨이 차다니, 실로 20년 만의 일이다.

마지막엔 잔디 위에 큰 대 자로 뻗어 "으아~악" 하고 의미도 없는 소리를 질렀다. 웃고 싶기도 하고 울고 싶기도 했다. 왜 그런지 기분이 그랬다.

그날 밤, 가족 셋이 둘러앉아 저녁을 먹는데 히토미가 내후년부터 다쿠야가 다닐 유치원에 관해 상의했다.

"근처에서 다니면 되잖아." 다쓰로가 대답했다. "차로 데려다주고 데려오기도 번거로울 텐데."

"어어, 그렇긴 한데. 엄마가 제대로 된 사립에 보내는 게 좋을 거 같다고 해서."

"다쿠야는 우리 애야. 초등학교도 이 지역에서 다니면 충분해."

"엇! 초등학교도?"

"그래. 너무 온실 화초처럼 키우면 못써. 난 잡초처럼 강인하게 키우고 싶어."

"왜 그래, 어깨에 힘까지 넣으면서." 히토미가 어깨를 한 번 들썩하더니 밥을 입으로 가져간다.

"꺼억." 다쿠야가 트림을 했다.

"어멋, 다쿠야!" 하고 소리치는 히토미.

"꺼억!" 다쓰로도 일부러 트림을 했다. 다쿠야가 키득키득 웃으며 재미있어 한다.

"그거 봐, 흉내 내잖아." 히토미가 잔소리를 했다.

"뭐 어때. 매너 같은 건 어른 되면 자연히 익힐 텐데."

"버릇되면 곤란하단 말이야."

"이봐. 체면 때문에 절절매고 사는 거 힘들지 않아? 꾸밈없이 소탈하게 사는 게 훨씬 편하잖아?"

"그게 다쿠야 트림하는 거랑 무슨 관계가 있어?"

"예를 들자면 그렇단 말이지. 아이 때부터 너무 공손하게 구는 것만 가르치면 궁지에서 벗어나기 힘들어져."

"그래도 매너는 매너야."

그때 텔레비전에서 가발 광고가 흘러나왔다. 그것을 본 다쿠야가 "할아버지!" 하고 소리쳤다.

잠깐 동안의 침묵. 히토미가 "푸훗" 하며 웃음을 터뜨렸다.

"아마 지난번에 우리 집에서 할아버지가 쓰는 걸 봤던 모양이야."

"그래." 다쓰로는 솟구치는 웃음을 참아내느라 어깨를 들썩였다. 히토미도 입장이 난처했던 모양이다.

"모르는 척해 드려."

"어어." 고개를 숙이고 밥을 먹는다.

"어, 왜 웃고 그래."

"당신도 웃으면서 뭘."

다쿠야가 이상하다는 듯 올려다본다. 다쓰로는 마음이 한결 가벼워졌다. 부부간의 거리까지 가까워진 기분이었다.

3루수

1

〈반쨩, 오른쪽 어깨 통증으로 퇴장, 개막전 절망적인가?〉

〈3루는 내게 맡겨라. 신세대 주장 스즈키(鈴木), 레귤러 사냥
돌입〉

커다란 활자로 뽑아놓은 헤드카피가 춤을 춘다. 그 옆에는 얼
굴을 잔뜩 찡그린 자기 사진이 실려 있다. 일부러 일그러진 표
정을 골랐을 게 틀림없다. 일러스트로 구석구석 세심하게 땀이
솟아난 모양까지 그려 넣었다. 매스컴 하는 꼬락서니라니. 남의
불행이 그리도 즐거울까…….

반도 신이치(坂東眞一)는 깊은 한숨을 내쉬며 스포츠신문을
꾸깃꾸깃 뭉쳐 뒷좌석에 집어던졌다.

시동을 걸고, 기어를 넣었다. 액셀러레이터를 밟는다. 메르
세데스 최상급 자동차는 서서히 앞으로 미끄러져 나가며 다마
가와 연습장을 뒤로했다. 봄 햇살을 받은 보닛(bonnet)이 눈이
부시도록 반짝인다.

오키나와에서 봄 캠프를 마치고, 지난주에 도쿄로 돌아왔다.
지금은 개막전이 한창이라 1군은 간사이에 원정 경기 중이다.
도쿄 가디건즈 연습장에 나오는 사람은 2군 어린 선수들과 슬
로(slow) 조정을 허락받은 베테랑, 그리고 부상자다.

신이치는 부상자 취급을 받는다. 오른쪽 어깨가 아프다고 보고하고 1군에서 빠졌다. 팀 닥터의 진단 결과는 원인 불명이었다. 뢴트겐을 찍어봐도 아무 이상이 발견되지 않았고, 혈액검사를 해봐도 염증 반응이 나오지 않았다.

당연한 결과다. 신이치는 거짓말을 했다. 어깨는 아무렇지도 않다. 그렇게 하지 않으면, 1군과 함께 간사이로 떠나는 매스컴이 냄새를 맡을지도 모른다. 그리고 팀 동료들에게도 알리고 싶지 않았다. 프로 입단 10년째인 베테랑 3루수가 1루 송구를 두려워하다니, 비웃음을 살 일이다.

발단은 오키나와에서 열린 오사카 브레이커즈와의 연습경기였다. 상대팀에는 6개 대학 리그 시절부터 숙적인 야자키가 있는데, 신이치는 그 인간이 싫었다. 쩨쩨하고 천박하고 조심성 없고, 웃는 모습 하나만 놓고 봐도 도통 마음에 들질 않는다. 한마디로 주는 거 없이 미운 놈이다.

3루로 땅볼이 굴러온 순간, 야자키 놈이 큰 소리로 야유를 보냈다.

"어이, 반도! 스즈키에게 양보하시지!"

신이치는 발끈했다. 스즈키는 가디건즈에 드래프트 프리 조건으로 입단한 루키다. 대학 시절에는 3루수였고, 자니즈(남자 아이돌 육성에 초점을 맞추는 일본 엔터테인먼트) 계열 꽃미남 마스크로 인기가 하늘을 찔렀다.

그 바람에 1루로 악송구를 던지고 말았다.

서서히 얼굴이 달아올랐다. 눈 꼬리를 치켜뜨고 상대 벤치에 있는 야자키를 노려보았다.

"돈 마인드, 돈 마인드. 신경 쓸 거 없어. 지명타자 쓰는 방법도 있잖아."

야자키의 말에 벤치에서 와자그르르 웃음이 터져 나왔다. 점점 더 화가 치밀었다. 골든글러브상을 세 번이나 수상한 나에게 감히……

다음 타자도 3루 땅볼이었다. "어이, 간다, 가!" 야자키의 목소리가 귀에 꽂혔다. 입 닥쳐~.

신이치는 전속력으로 달려 땅볼을 잡아냈다. 2루는 늦을 거라는 판단에 1루로 송구를 했다.

야자키가 배를 잡고 웃었다.

신이치는 어리둥절했다. 연습경기라고는 하지만, 연이어 두 번이나 악송구를 하다니, 리틀리그 시절에도 없었던 일이다.

스탠드에서도 야유가 일었다. "야, 반짝. 지금 동네야구 하냐."

"스즈키 군, 보고 시이~퍼." 여성 팬이 거침없이 소리를 질러댔다.

곧이어 야자키가 "우리들도 스즈키 군이 보고 시이~퍼"라고 여자 목소리를 흉내 내며 주위 사람들을 웃겼다.

분노로 입술이 떨렸다. 이보다 더한 치욕은 없다.

체인지 하자마자 홧김에 투수에게 다가가 "야자키 나오면 공으로 갈겨버려"라고 주문을 넣었다. "대학 선뱁니다. 좀 봐주십시오." 어린 선발투수는 곤혹스러운 표정을 지으며 오히려 자기가 고개를 꾸벅 숙인다.

스즈키는 벤치 구석에 면목 없는 듯한 모습으로 앉아 있었다. 스즈키의 옆모습은 남자인 자기가 봐도 반할 만큼 잘생겼다.

그날 이후, 제구력에 이상이 생겼다. 시트노크 훈련에서 3루 땅볼을 처리하는데 1루로 제대로 송구할 수 없었다. 오른쪽, 왼쪽으로 빗나간다. 주위에서도 이상을 감지하기 시작했고, 이윽고 코치가 "왜 그래?"라고 물었다.

"어깨에 뭐가 걸리는 느낌이……." 거짓말을 지어냈다. 그런 말 말고는 다른 생각이 떠오르지 않았다. 코치는 얼굴이 하얗게 질린 신이치에게 다른 연습을 하라고 지시했다. 입단 이래, 부동의 레귤러로 뛰어온 신이치인지라 주위에서도 배려해주었다.

도쿄로 돌아와 절친한 친구이자 타격투수인 후쿠바라에게만 상의했다. "아무한테도 말하면 안 돼"라는 다짐을 먼저 받아놓고. 후쿠바라는 드래프트 동기생인데 3년 전부터 스태프로 일하고 있다.

"마음 쓰지 마." 후쿠바라는 따뜻하게 감싸주듯 말했다. "골프 퍼팅하고 똑같은 거야. 신경 쓰기 시작하면 더 엉망이 된다구. 누가 뭐래도 넌 올스타 고정 3루수 아니냐. 반도 신이치가 넘버원이지."

코끝이 찡했다. 운동선수는 최고가 될수록 고독하다. 친구의 존재가 소중하게 느껴졌다.

그런데 실내 연습장에서 노크를 해보더니 후쿠바라의 표정이 변했다. 1루 베이스에 설치한 네트에 공이 단 한 개도 들어가지 않았던 것이다. "야, 반. 정말이야." 후쿠바라가 쉰 목소리로 말했다.

대책을 찾아내기 위해 비디오 촬영을 했다. 송구 폼을 체크해봤지만 예전과 달라진 데가 전혀 없었다. 도저히 원인을 알아낼 수 없었다.

아무 소용도 없는 연습을 사흘간 계속하고 나서야 후쿠바라는 병원에 가보라고 권유했다.

"의사 상담을 받아보는 것도 한 가지 방법이잖아. 네 경우는 틀림없이 정신적인 문제 같다. 야구와 관계없는 사람한테 가서 마음속에 있는 걸 다 쏟아내고 와라."

"별다른 고민 같은 거 없어." 은근히 부아가 났다. 밤에 잠도 잘 잤다.

"그런 소리 하지 말고. 무슨 수가 나올지도 모르잖아. 앞으로 3주 후면 개막이야. 이 상태로는 개막전에도 못 나가."

그 말을 듣고 보니 어깨가 축 처졌다. 맞는 말이다. 매스컴은 이야깃거리가 되는 스즈키에게만 죽자 사자 매달려 있다. 마치 신이치가 2군으로 밀려난 걸 환영이라도 하듯.

마지못해 후쿠바라의 제안에 동의는 했지만, 팀에서 계약한 병원은 피했다. 진단 결과가 모두 구단에 보고되기 때문이다. 신이치는 자기가 직접 찾아보기로 했다…….

은빛 메르세데스가 도로를 질주한다. 이 차 핸들을 잡으면 감개에 젖어들 때가 있다. 누구나 동경해 마지않는 고급차를 자기는 현금을 주고 샀다. 연봉은 1억5천만 엔. 고급주택지에 자리잡은 저택, 스튜어디스 출신의 아름다운 아내도 몸뚱이 하나로 손에 넣었다. 야구가 없었다면 지금쯤 이름도 없는 샐러리맨으로 살아가고 있겠지.

앞으로 5, 6년은 더 일선에서 뛰고 싶다. 이런 중요한 시기에 오도 가도 못 하고 서성거릴 입장이 아니다.

문득 앞을 쳐다보니, 커다란 간판이 눈에 들어왔다. '이라부 종합병원'이라고 씌어 있었다. 엇, 이런 데 병원이 있었나. 신이치는 혼잣말로 중얼거렸다. 병원 간판은 볼일이 없을 때는 눈에 들어오지도 않았던 것이다.

내일쯤 저기 가볼까……. 한숨을 내쉬었다. 밑져야 본전일 테지.

"들어오세~요!"

지하 1층에 있는 신경과 문을 두드리자마자 안에서 높고 명랑한 목소리가 들려왔다. 장소에 어울리지 않는 응답에, 무심코 안내판을 확인한다. 여기 맞지. 머뭇머뭇하며 문을 열었다.

안으로 들어가자 뚱뚱한 중년 의사가 1인용 소파에 책상다리를 하고 앉아서 께름칙한 미소를 지으며 손짓한다. 가슴에 단 명찰에는 '의학박사 · 이라부 이치로'라고 씌어 있다.

"접수처에서 들었는데 반도 씨, 프로야구 선수라면서? 그럼, 그것 좀 받아줄 수 있을라나, 이치로 사인."

"네에?" 신이치는 이맛살을 찌푸리며 눈앞의 남자를 찬찬히 뜯어보았다. 목을 가늠하기 힘들 정도인 이중 턱, 비듬이 삐져나온 부스스한 머리칼, 도라에몽을 떠올리게 하는 굵은 손가락. 한마디로 봉제 인형처럼 생긴 남자였다.

"사인 받아주면 주사 열 대, 서비스로 놔줄 수 있는데."

"저어어…… 이치로는 미국에 있어서 저희들도 만날 수가 없는데요."

"에이 뭐야. 그럼 다카노하나(貴乃花, 일본 스모계 간판 스타)도 괜찮아."

"모르는데요, 스모 선수는."

"하긴 그렇겠지. 하하하하." 이라부가 잇몸을 드러내며 웃어젖힌다.

예의라고는 전혀 찾아볼 수 없는 의사의 행동에 신이치는 적잖이 곤혹스러웠다. 정신과 의사들은 먼저 농담을 던져서 분위기를 풀어나가는 걸까.

일단 환자용 의자에 마주앉았다.

"음, 어떻게 왔어?" 이라부가 무리하게 짧은 다리를 꼬고 앉으며 물었다.

"저어, 선생님, 그 전에⋯⋯." 신이치는 기침을 한 번 하고 나서 목소리를 낮추고 물었다. "프로야구는 잘 아십니까?"

"아, 아니, 아는 건 이치로하고 마쓰이 정도."

마음이 놓였다. 인기를 팔아 먹고사는 직업인 만큼, 외부로 새나가는 일만은 피하고 싶다. 환자의 비밀을 지키는 건 의사의 당연한 임무이겠지만, 흥미 위주로 접근하는 것도 싫었다.

"그렇다면 저도 모르시는 거네요."

"응, 몰라. 한 번도 못 봤어."

그 정도까지 모른다고 강조하니 은근히 화가 났다. 그러나 기분을 추스르고, 최근에 일어난 일들을 설명했다. 송구 제구력이 흐트러졌다, 과거에는 이런 경험이 전혀 없었다, 개막전이 다가오기 전에 빨리 치료해야 한다⋯⋯. 후쿠바라에게 말하지 않은 이야기까지 털어놓았다. 3루 포지션에 가서 서기만 해도 불안해서 숨을 쉬기가 힘들어졌던 것이다.

"전형적인 입스(YIPS)로군." 이라부가 재미있다는 듯 말했다. "골프 퍼팅 입스라는 게 가장 유명한데, 원래는 피아니스트의 손가락이 움직이지 않는 걸 가리키는 말이니까 어느 직업에나 있을 수 있지."

입스라는 말은 들어본 적이 있다. 프로야구 해설가 에가와 스구루(江上卓)가 퍼팅이 전혀 안 되는 병에 걸려 골프를 그만둔 것은 야구계에도 잘 알려진 이야기다.

"다시 말해서 자기가 생각하는 바가 몸에 전해지지 않고, 의지에 반하는 움직임을 해버리는 거지."

이라부가 바다표범처럼 목을 빼더니 벅벅 긁어댔다. 콧구멍은 500엔짜리 동전이 들어갈 정도로 크다.

"하지만 그건, 이유가 확실한 거 아닙니까. 몸이 생각대로 움직이지 않는다는. 제 경우는 비디오 체크를 해봐도 폼에는 아무 문제가 없거든요……."

"그럼, 입스는 그만두지 뭐."

"네에?"

"감기, 걸린 거 아닌가?"

"아니, 안 걸렸는데요……."

"아냐, 걸렸어. 눈이 조금 빨개. 훗훗훗. 어~이. 마유미짱."

이라부가 소리를 높이자 커튼 안쪽에서 흰색 미니 가운을 입은 젊은 간호사가 주사기를 트레이에 받쳐 들고 나타났다. 뭔가 심사가 뒤틀린 듯한 표정으로 앰풀에 든 약을 주사기에 주입한다.

신이치는 어리둥절한 상태로 그 모습을 멍하니 바라보았다. 어어, 여기가 어디였지? 분명 신경과를 찾아온 것 같은데…….

"감기는 만병의 근원이라는 말이 있지. 그러니까 제구력도 나빠지게 할 수 있는 거야."

왼팔이 주사대에 묶였다.

"자, 자, 잠깐."

"괜찮아, 괜찮아. 첫 진료는 서비스로 해주니까 돈 걱정은 안

해도 돼. 푸하하." 이라부가 요란하게 웃어젖혔다.

"아니, 그게 아니고……."

무작정 주사를 찔러버린다. "아야야야야" 얼굴을 찡그렸다. 간호사의 가운 가슴팍이 벌어져 있어 무심코 계곡 쪽으로 시선이 쏠리고 말았다. 앞에서는 이라부가 흥분한 표정으로 주삿바늘이 피부를 찌르는 순간을 응시하고 있었다.

대체 뭐야 이건? 갑자기 현실감이 옅어졌다. 주사 통증도 사라졌다.

"일단은 통원치료를 해볼까. 여러 가지 검사도 필요하고"라는 이라부.

"네에……." 엉겁결에 고개를 끄덕이고 말았다.

"나을 거야, 금방. 설마하니 공이 반대 방향으로 날아가는 건 아닐 거 아냐. 기껏해야 90도 이내 오차일 테지."

"네엣? 90도 이내라뇨……."

"신경 쓸 거 없어, 신경 쓸 거 없다구. 아하하하." 이라부가 다시 웃는다.

신이치는 머릿속을 정리하려고 필사적으로 발버둥 쳤다. 어느 날 갑자기 송구 공포증이 생겨 신경과 문을 두드렸고, 그리고 진찰을 받고……. 문제될 게 없다. 자신은 잘못한 게 없다.

"그건 그렇고 반도 씨, 어릴 때부터 야구가 특기였어?" 이라부가 물었다.

"네에, 그야 프로야구 선수가 됐을 정도니까."

"난 야구만은 영 소질이 없었던 거 같아."

야구만은? 이라부의 체형을 찬찬히 뜯어보았다. 당신은 스모 말고는 할 만한 게 없을 텐데.

"그래도 오랜만에 야구공을 좀 만져보고 싶군. 반도 씨, 지금 없어?"

"아 네, 차 트렁크에 공이랑 글러브랑 야구 용품 한 벌이 들어 있긴 합니다만."

"정말?" 이라부가 눈빛을 반짝이며 자리에서 벌떡 일어섰다. "하자, 하자. 캐치볼 하자."

"아니, 그게, 저는 집에 들어가 봐야 되는데."

"뭐 어때. 까짓 집이야 언제 가면 어때. 하자, 빨리 하자구."

이라부가 신이치의 팔을 붙들고 어린애가 떼를 쓰듯 흔들어 댔다.

"마유미짱~앙. 잠시 휴진이야."

"올 사람도 없어요."

간호사가 나른한 목소리로 말한다. 그러고는 한쪽 벤치에 아무렇게나 널브러져 잡지를 팔랑팔랑 넘긴다.

도대체, 자신은 지금 어디에서 헤매는 걸까? 신이치는 이라부에게 끌려 진찰실을 나왔다.

"와아~. 야구공이 완전 돌덩이네."

이라부가 공을 쥐더니 자기 머리를 콩콩 두드렸다. 속에 뭐가 들었는지 몰라도, 꽤나 맑은 소리가 난다.

병원 정원에서 10미터 정도 간격을 두고 마주 섰다. "자아, 간다!" 이라부가 먼저 던졌다.

아득한 상공으로 날아올랐다. 기가 찰 정도의 폭구였다.

"어디로 던지는 거예요." 불평하며 공을 주우러 달려갔다.

"미안, 미안. 감이 안 잡혀서."

이번에는 신이치가 던졌다. 상대가 아마추어라 산 모양을 그리는 느린 공을 가슴께로 던져주었다.

"엇 뭐야. 스트라이크잖아."

"캐치볼은 상관없어요. 문제는 땅볼을 처리한 후에 송구하는 거죠. 빠르고 정확하게 던져야 되거든요."

"흠, 그렇구나."

다시 이라부가 던진다. 이번에는 땅바닥으로 곤두박질쳤다.

"선생님, 던지는 방향을 좀 제대로 쳐다보세요. 그리고 이 정도 거리에서 그렇게 있는 힘껏 던질 건 또 뭡니까."

"허, 참 이상하네. 어깨 상태가 안 좋은가."

어깨 상태라니. 운동신경이 둔한 거지. 신이치는 어처구니가 없었다.

그 뒤에도 이라부는 계속 폭구만 던졌다. 신이치는 종일 좌우로 뛰어다니기만 했다. 명색이 프로야구 선수인 내가 뭐가 아쉬워서 이런 또라이 의사랑 캐치볼을 해야 한단 말인가……. 입원환자들이 창가에 서서 미소 지으며 구경했다.

"반도 씨, 이번에는 저기쯤에 땅볼을 던져봐. 그걸 받아 송구해줄 테니." 이라부는 그렇게 말하며 5미터가량 옆을 손가락으로 가리켰다. 아무래도 타구 처리 흉내를 내고 싶은 모양이다.

뻔뻔스러워도 유분수지. 공 하나 제대로 못 던지는 주제에……

말씨름을 하는 게 귀찮아서 완만한 땅볼을 우측으로 굴려주었다. 이라부가 우당탕탕 요란스럽게 달려가더니 공을 잡는다. 재빨리 오른손에 바꿔 들더니 공을 던진다.

공은 깔끔한 포물선을 그리며 신이치의 가슴팍으로 날아들었다.

"됐다, 됐어!" 이라부가 거구를 흔들어대며 기뻐했다.

신이치는 흰 가운을 입은 하마처럼 생긴 사내를 물끄러미 쳐다봤다.

뭐, 한 번 정도 요행수야 있을 수 있지.

다음은 좌측으로 굴려 보냈다. 이라부가 스텝을 밟는다. 이번에는 뒹굴며 공을 잡아내 송구했다.

또다시 신이치의 가슴팍에 떨어졌다.

"아자, 아잣! 나도 야구에 소질이 있는 거였네. 아깝다. 어릴 때, 팀에 들어갔으면 좋았을걸."

설마 진심으로 떠들어대는 건 아니겠지? 캐치볼에서는 폭구만 던져댄 주제에.

땅볼 처리 연습을 계속했다. 오른쪽으로 왼쪽으로, 공을 굴려

보낸다. 이라부는 거의 대부분 공을 낚아서 스트라이크를 던졌다. 볼썽사납긴 했지만, 가끔은 점핑스로까지 선보였다. 그리고 멋들어진 송구를 했다.

"나도 프로가 될 수 있을까." 이라부가 천진난만하게 웃으며 이마에 흐르는 땀을 훔쳤다.

당신 나이가 몇인 줄이나 알아. 하지만 놀랍긴 했다. 이라부는 구제 불능 운동치는 아니었다.

"피곤하니까 다시 캐치볼 할까."

그러자 또다시 폭구가 시작되었다. 신이치가 공을 주우러 달린다.

대체 어떻게 생겨먹은 인간인지……. 신이치는 넌더리가 났다. 도저히 이해가 안 간다. 어려운 건 처리하면서 어째서 가장 간단한 건 못하는 걸까.

"선생님, 잠깐 쉬죠."

그럭저럭 적당히 지친 두 사람은 캐치볼을 멈추고 잔디 위에 앉았다.

"다시 던져봐도 도통 제구력이 안정되질 않네." 이라부가 연신 고개를 갸웃거린다.

"아까 땅볼 처리하는 느낌으로 던지면 되잖아요."

"근데, 반도 씨, 제구력이란 게 뭐야?"

"갑자기 물어보시면……." 허를 찌르는 질문이었다. 지금까지 단 한 번도 생각해본 적이 없다.

"골프나 테니스와는 근본적으로 다르잖아, 손으로 공을 던지는 거니까. 폼이 좋다고 해서 의도한 데로 공이 가는 것도 아니고."

그렇다. 지금 자신이 걸린 증상이 바로 그거다.

제구력이란 대관절 무엇일까……?

신이치는 난생 처음 의문에 부딪친 기분이었다.

2

〈3할대 타격 루키, 스즈키 시대 활짝 열리다〉

〈신세대 루키, 개막전 선발을 향해 돌진〉

정말 매스컴 하는 짓이라니, 기껏 개막전에서 이류급 투수를 상대로 안타 친 걸 가지고…….

신이치는 스포츠 신문을 둥글게 말아, 실내 연습장 쓰레기통에 쑤셔 박았다. 스즈키는 분명 좋은 선수이긴 하지만, 인코너 볼이 들어오면 곧바로 주눅이 드는 응석받이다. 주전급 투수라면 스즈키 정도는 가볍게 해치울 게 뻔하다.

야구는 경험이 중요한 스포츠다. 절정기가 30세 전후인 이유는 출전 경험 횟수가 필요하기 때문이다.

그날도 후쿠바라를 상대로 수비 연습을 했다. 물론 다른 선수들이 모두 철수하고 나서부터다.

"반, 몸을 좀 쉬게 해줘야 할 거 같은데."

후쿠바라가 휴양을 권했지만, 신이치는 노크 상대를 해달라고 부탁했다. 아무것도 안 하는 게 훨씬 불안했다. 몸을 움직이다 보면, 어느 순간 실마리가 잡힐지도 모른다.

그러나 송구는 점점 더 제어 능력을 잃어갈 뿐이었다. 때로는 1루 베이스에서 10미터도 더 옆으로 비껴갔다. 후쿠바라가 손을 번쩍 쳐들면서 물었다.

"어이, 반. 의사는 뭐라던? 받아봤지? 카운슬링."

"입스 어쩌고 하던데."

"역시 그렇군. 나도 같은 생각이야. 넌 스로잉 입스야."

"멋대로 병명 만들어내지 마라." 신이치가 부루퉁해져서 말했다.

"아냐, 니가 몰라서 그렇지. 야구계에 꽤 흔한 거야. 작년에 은퇴한 아키가와 선수, 나고야의 세키야마 선수, 미국으로 건너간 다우치 선수, 모두 다 경험자야." 후쿠바라가 손가락을 꼽으며 말했다.

"그래?"

신이치는 처음 듣는 얘기였다. 하긴 운동선수들은 자기 병에 대해선 주위에 밝히기를 꺼려하기 마련이다.

"젊은 시절 얘기 같긴 한데, 코치들 사이에는 다 알려진 사실이야. 다우치 씨 같은 경우는 내야수로 입단했다가 외야로 자리를 바꿨지, 왜. 그게 입스 때문이라는 소문이 있어."

"무슨 소리야, 나한테도 외야로 바꾸란 말이냐."

"그런 말이 아니잖아." 후쿠바라가 인상을 찡그렸다. "아무튼 너 혼자만 겪는 일이 아니란 말이다."

연습을 계속했다. 타구를 잡아 송구한다. 제구력이 더욱 심하게 흐트러졌다. 시험 삼아 가볍게 던져보았지만, 그래도 마찬가지였다. 신이치는 하늘을 올려다본다. 어지간히 기가 죽는다. 내 오른팔은 단순한 장식품이 되어버린 걸까…….

뒷정리를 하고 후쿠바라와 함께 탕에 들어갔다. 뭉친 근육을 풀어주려고 제트 분사 샤워기 앞에 섰다.

가디건즈 클럽하우스는 일류 호텔 뺨칠 만큼 호화로웠다. 부드러운 백열등 조명에 바닥에는 어영석(御影石)이 깔려 있다.

"반, 하기야 넌 줄곧 평탄한 길을 걸어오긴 했지." 후쿠바라가 물을 퍼서 얼굴을 적시며 툭 내뱉었다.

"무슨 뜻이야?"

"고등학교에서나 대학에서나 늘 스타 선수였잖아. 고시엔에서는 끝내기 안타를 날리고, 6개 대학 리그선 베스트 나인으로 선정되고……. 프로에 들어와서도 1년 만에 레귤러 자리를 차지했고, 올스타 고정 멤버고……."

"놀면서 그렇게 된 거 아냐." 쉽게 말하는 태도에 은근히 화가 났다.

"그야 그렇지. 노력의 산물이겠지. 하지만 내 입장에서 보면

복 많은 야구 인생이다. 좌절한 적도 없이 여기까지 온 거잖
아……."

"그럼, 입스인가 뭔가 하는 게 좋은 경험이란 말이야?"

"시비 걸지 마라. 그런 뜻이 아니잖아. 하지만 순조롭게만 지
내온 사람한테는 보이지 않는 게 많은 법이야. 내가 줄곧 2군 생
활이었던 건 잘 알지? 그들 중에도 입스는 있어. 인코너를 못 치
는 녀석, 견제구를 못 던지는 녀석, 개중에는 투수한테 공을 못
던지는 캐처까지 있다구."

조용히 듣고 있었다. 욕조에 기대어 천장을 올려다본다.

"네가 스로잉 입스를 모른다는 걸 알았을 때, 난 절실하게 느
꼈다. 아아, 반도 신이치는 이제껏 다른 세상에 살았구나. 밑에
서 악전고투하는 무리는 보이지도 않았던 거구나, 라고."

"사람을 그렇게 냉혈인간 취급하기냐!"

"내 말이 맞잖아. 얘기를 가만 들어보면 재능을 타고난 사람
들은 자기가 어떻게 그렇게 할 수 있는지 생각해보질 않아. 그
러니까 일단 톱니바퀴가 어긋나기 시작하면 고치기가 어렵지."

기분이 상해서 후쿠바라를 향해 물을 끼얹었다. 잠시 침묵이
흘렀다.

"……하긴 뭐, 반, 넌 금방 회복할 거다. 실전에 임하면 플레
이에 집중해서 입스 같은 건 까맣게 잊을지도 모르지."

"그렇게만 되면 다행이지만." 한숨을 쉬었다. 제발 그렇게
되기만을 간절히 바란다……. 눈을 감는다. 불현듯 이라부의 말

이 떠올랐다. "야, 후쿠바라. 그런데 말야. 제구력이란 게 도대체 뭐지?"

"어? 뭔 소리야, 뜬금없이."

"아니, 갑자기 궁금해서 그래. 골프는 이론적으로 알 수 있잖아. 임팩트 강도와 각도로 공 날아가는 방향이 결정되는 거고. 테니스나 축구도 마찬가지잖아. 그런데 사람 손으로 볼을 던지는 거, 상당히 독특한 거 아니냐. 그렇잖아, 맞추는 게 아니라 던져 보내는 거니까."

"야, 반. 이상한 생각 집어치워. 물건을 던지는 건 인류가 수렵시대부터 해온 거야."

"그렇긴 하지만, 투구 폼은 완벽한데 제구력 난조를 보이는 투수도 있잖아. 그런가 하면 아무렇게나 던져도 훌륭하게 코너에 꽂는 투수도 있고. 그런 걸 어떻게 이해해야 되냐구."

"사람에겐 각자에게 맞는 폼이 있는 거지. 부탁이다. 그런 생각은 접어둬라."

후쿠바라가 미간을 찌푸렸다. 신이치는 욕조 속에 머리를 처박고 코로 숨을 내쉬었다.

물거품이 눈앞에서 춤을 춘다. 제멋대로 퍼져나가는 모양이 왠지 자기가 던지는 공 같다는 생각이 들었다.

"와~아. 캐치볼 또 하자."

연습을 마치고 돌아가는 길에 병원에 들르자, 이라부가 만면에 미소를 띠며 신이치에게 매달렸다. 어울리지도 않는 향수 냄새가 코를 찌른다.

"갑자기 야구가 너무너무 좋아졌어."

대체 이 사내는 어떻게 생겨먹은 인간인가. 완전 다섯 살짜리 어린애였다. 신이치는 고개를 돌리며 양손으로 이라부를 밀어 냈다.

"선생님. 저는 카운슬링을 받으러 온 건데요."

"소용없다니까. 이야기해서 낫는 거면 의사가 뭘 필요야."

엉? 이라부가 한 말을 머릿속으로 반추해본다. 맞는 말 같기도 하고, 완전히 터무니없는 말 같기도 하고……

"참, 우선 주사부터 놔야지. 어~이, 마유미짱."

"아니, 전 감기 안 걸렸다니까요."

"아니, 오늘부터는 비타민 주사. 마음이 혼란한 건 비타민 부족이 주요 원인이거든."

그거 근거나 있는 소리야? 의심을 하면서도 스스로 자기 팔을 걷어 올렸다. 이라부 앞에 앉으면 거역할 기력을 잃고 만다.

또다시 주사를 맞았다. 간호사는 넓적다리까지 훤히 드러낸 미니스커트 차림이었다.

팔을 잡아끌려 정원으로 나갔다. 이라부는 자기 글러브까지 준비해두었다. 5만 엔이나 하는 프로용 글러브였다.

"이세탄에서 주문했어." 이라부가 잇몸을 드러내며 웃는다. 왠지 모르게 힘이 쭉 빠졌다.

캐치볼을 시작하자, 신이치는 어제처럼 이리저리 뛰어다니는 신세가 됐다.

"선생님, 위에서 아래로 뿌리듯이 던지세요. 그러면 똑바로 날아가니까."

"이렇게?"

이라부는 신이치가 시키는 대로 공을 던졌다. 그런데도 엉뚱한 방향으로 날아갔다.

"팔이 왜 그 모양이에요. 관절이라도 삔 거 아니에요."

"허, 이상하네." 연신 고개를 갸웃거린다. "이거 말고 땅볼 연습할까. 그걸 더 잘하니까."

신이치가 땅볼을 던져주었다. 그러자 가슴께로 스트라이크가 날아왔다.

정말 이해할 수가 없다. 어째서 어려운 공을 던지면, 곧바로 제구력이 좋아지는 걸까. 틀림없이 이 남자에게 야구방망이를 주면 정중앙으로 들어오는 스트라이크는 헛스윙을 하고, 원바운드로 들어오는 형편없는 공은 안타를 쳐낼 것이다.

"선생님, 이상체질 아닙니까."

"난 몸을 움직이다 던지는 게 훨씬 쉬워." 이라부가 대답한다.

호오~. 그 말을 듣고 신이치는 갑자기 움직임을 멈췄다. 이론과는 반대지만, 시도해볼 만한 가치는 있다. 나가시마 시게오(長嶋茂雄, 일본 야구계의 살아 있는 전설, 과거 요미우리 자이언츠의 슈퍼스타)가 바로 그런 경우였다. 뛰어가면서 1루 송구를 했던 것이다.

"선생님, 저한테 공을 굴려서 던져보세요. 시험 좀 해보게."

"응, 알았어."

굴러온 공을 주워 들어 멈추지 않고 움직임이 이어지는 대로 던져보았다.

그러나 역시 마찬가지였다. 당연하지. 자기는 나가시마도 이라부도 아니니까. 엇? 그렇게 따지면…… 나가시마 시게오와 이라부가 같은 부류란 말이야?

잠깐 쉬자고 청했다. 자동판매기에서 스포츠 음료를 뽑아 잔디에 앉아 마셨다.

"선생님은 무슨 생각을 하면서 공을 던지세요?" 신이치가 물었다.

"아무 생각 없어."

그렇겠지. 무심으로 똘똘 뭉친 것 같은 사내니까.

"어제 말씀하신 건데, 제구력에 법칙이란 게 있을까요." 신이치가 물었다.

"제대로 된 법칙은 없는 것 같은데. 제구력이란 게 머릿속에 그린 이미지를 따라가느냐 못 따라가느냐 하는 문제 아닌가? 오히려 영감(靈感)에 가까운 거 아닐까."

영감이라. 듣고 보니 그런 것 같기도 하다.

"손으로 공을 던진다, 이거 가만 생각해보면 대단한 일 아냐." 이라부가 공을 만지작거리며 이야기를 계속했다. "어깨에서 손가락까지 수많은 관절과 근육이 있을 테고, 그것들 각각으로 뇌에서 명령을 보내는 거잖아. 그것도 순식간에."

신이치는 자신의 오른팔을 내려다봤다. 정말 잘 만들어진 인체다.

"게다가 빠르고 정확하게 던지려면 전신의 근육이 필요하지. 이미지도 더해질 테고. 메커니즘으로 보면 정밀기계보다 훨씬 복잡하네."

손바닥을 내려다보며 손가락을 움직여본다. 로봇은 절대 할 수 없는 놀라운 재주다. 다른 동물들 역시 무리다. 인간의 손은 생물학이 이뤄낸 기적인지도 모른다.

"그렇기 때문에 어디 한군데라도 어긋나기 시작하면 전체에 이상이 생기는 거지."

틀림없는 말이다. 지금 자신은 톱니바퀴 어딘가가 어긋나 있다……. 정체를 알 수 없는 불안감이 고개를 쳐들었다.

"선생님, 잠깐만요." 공을 주워 들며 자리에서 일어났다. 주차장 벽에 페인트로 써놓은 '응급환자용'이란 글씨가 보였다. 신이치는 '응급'이라는 글자 한가운데를 겨냥해 공을 던졌다.

3미터나 옆으로 비껴갔다.

헉? 순간 핏기가 싹 가셨다. 아니, 이게 뭐야…….

달려가 공을 집어 다시 한 번 시험해본다. 심장이 가쁘게 뛰기 시작했다.

이번에는 원바운드였다.

세상에, 이럴 수가? 마음속으로 소리를 질렀다. 공 궤도가 이미지로 떠오르지 않았다. 컴퓨터 메모리가 갑자기 지워져버린 것처럼.

"반도 씨, 왜 그래?" 만사태평한 이라부의 목소리가 귓전을 스친다.

송구뿐만 아니라 캐치볼조차도 할 수 없게 되었다…….

눈앞이 캄캄했다. 손가락 끝의 떨림이 멈추지 않았다.

〈나왔다, 프로 입문 1호! 스즈키, 봄 시즌 정식 경기〉
〈120미터 홈런포. 스즈키, 시합 결정짓다〉

한심하기 짝이 없는 이 나라의 매스컴 꼬락서니라니. 어떻게 개막전 홈런이 '프로 입문 1호'란 말인가. 그런 걸 어떻게 기록에 넣느냐고…….

신이치는 속으로 욕설을 퍼부어대며 스포츠 신문을 구깃구깃 구겼다. 그리고는 쓰레기통을 향해 자유투 하듯 신중하게 던졌다.

옆으로 크게 빗나갔다.

저도 모르게 고개를 떨어뜨렸다. 마음이 점점 더 어두워졌다. 공을 똑바로 못 던진다는 건 야구선수에겐 치명상이다.

후쿠바라에게 털어놓자 걱정스러운 표정을 지으며 "쉬어라. 널 위해서 하는 말이니까, 좀 쉬어"라고 충고했다.

그래도 연습을 계속했다. 가만있는 게 더 괴롭기 때문이다.

물론 던지는 공은 모두 폭구였다.

"반, 처음부터 다시 시작해보는 건 어때."

"처음부터라니?" 목소리에 힘이 없었다.

"와인드업으로 공을 던져봐. 투수들 투구 기본 폼이잖아."

일리가 있다는 생각이 들었다. 중학교까지는 에이스였다. 코치에게 처음 배운 것이 올바른 투구 폼이었다. 신이치는 호흡을 가다듬고, 양다리를 모으고, 양팔을 머리 위로 높이 들어 올리고, 왼쪽 다리를 들면서 체중을 실어 공을 던졌다.

후쿠바라가 들고 있는 글러브 안으로 공이 쏙 빨려 들어갔다.

"됐다!" 자기도 모르게 팔짝 뛰어올랐다. "후쿠바라, 됐어!" 목소리가 떨렸다. 남세스럽게 눈에 눈물까지 고였다.

"울지 마, 인마! 좋아, 그럼 거리를 좀 벌려서 해보자."

후쿠바라의 지시에 따라 원거리 투구로 바꿨다. 30미터, 40미터, 거리를 넓혀도 스트라이크가 들어갔다. 퍽. 퍽. 메마른 글러브 소리가 실내연습장에 울려 퍼졌다.

"있는 힘껏 던져봐야지."

팔을 높이 쳐들고, 라이너성 볼을 던졌다. 공은 군더더기 없이 깨끗하게 회전하며 후쿠바라의 글러브 속으로 빨려 들어갔다. 희망이 용솟음쳤다. 기본부터 하나씩 복습하면 의외로 쉽게 입스를 고칠 수 있을지도 모른다.

그 순간, 네트 너머에서 인기척이 느껴졌다. "어이, 반. 뭐야, 이제 어깨 괜찮아진 거야." 특징이 또렷한 허스키한 목소리가 들려왔다. 감독 네모토였다.

"이런, 이런, 걱정돼서 보러 왔더니. 너, 혹시 꾀병 부린 거 아냐"라며 빙긋이 웃었다.

"아니, 그게 아니라……." 식은땀이 흘렀다.

"새로 온 용병 밀러 녀석 말이야, 장인이 위독하다나 뭐라나 하면서 귀국해버렸다. 미국 놈들은 일보다 마누라를 먼저 챙기니 정말 골치 아파 죽을 지경이다."

"그러니까, 그게……." 말문이 막혔다.

"내일 진구 구장에서 하는 브레이커즈 전, 3루 부탁한다. 스즈키도 열심히 하긴 하는데, 아직 학생 체력이야. 대퇴부까지 딱딱하게 굳어버렸더라. 아무래도 무리였던 모양이야. 여차하면 자네가 나가야 돼. 팀을 좀 이끌어줘야지."

네모토는 불쑥 튀어나온 배를 문지르며 "크하하" 소리 내어 웃으면서 자리를 떴다.

후쿠바라와 얼굴을 마주본다. 두 사람 다 아무 말도 못하고 그대로 서 있었다.

만약을 대비해 팔을 쳐들지 않고 평소대로 공을 던져보았다. 엄청난 폭구였다.

힘이 쭉 빠져 그 자리에 나자빠졌다.

"으~악!" 자포자기하는 심정으로 고함을 내질렀다. 그 소리가 천장에 반사되어 자기 몸을 덮쳤다.

다음날은 하늘이 원망스러울 정도로 쾌청한 날씨였다. 봄기운이 유혹했는지, 평일인데도 스탠드에는 1만 명 가까운 관객으로 북적거렸다.

"어이, 완치됐다면서?" 수비 코치가 어깨를 두드린다. "아, 아니." 얼굴이 굳었다.

"스즈키한테 시범 좀 보여줘라. 저 녀석은 아직 손목이 안 풀려서 말야."

또 스즈키 얘기야. 자기도 모르게 혀를 찼다. 코치는 자기도 덩달아 인기를 끌고 싶은지 늘 스즈키 옆에 바싹 붙어 다닌다. 영업 부서 쪽에서는 꽃미남 루키의 입단을 매우 기뻐한다.

시합 전 연습은 배팅만 하고, 수비 연습은 거르고 지나갔다. 운동화 끈이 끊어졌다고 거짓말을 하고 벤치 안쪽 복도로 도망쳤다. 베테랑이기 때문에 아무도 군소리를 하지 않았다.

복도에서 브레이커즈의 야자키와 마주쳤다. "어허, 벌써 돌아온 거야?" 빈정대는 말투였다.

"그쪽 스즈키, 정말 잘생겼어. 우리 와이프까지 그 친구 팬이라니까."

"허어, 탤런트 출신 마누라랑 살다 보니 혹시 바람이라도 날까 걱정되는 모양이지."

야자키가 낯빛을 바꿨다. "홍" 콧김을 내쉬더니 눈을 부릅뜨며 그라운드 쪽으로 걸어갔다.

드디어 시합을 시작할 시각이 되었다. 마음은 온통 우울한 기분으로 가득했다. 천둥이라도 쳐주기를 바라며 하늘을 올려다본다. 종달새가 소리 높이 지저귀고 있다.

말(末) 공격이라 수비 위치로 흩어졌다. 내야수끼리 공을 돌릴 때는 양팔을 들어 던졌다. 팀 동료는 흠칫 놀라긴 했지만, 아무 말도 하지 않았다.

경기가 시작하기 전에 마운드로 걸어갔다. 선발투수는 드래프트 동기로, 속마음을 터놓고 지내는 사이였다.

"저기, 부탁인데, 오늘은 3루 땅볼은 안 나오게 해줘."

"뭐어?" 눈을 휘둥그레 뜬다. "또 시작이다, 반짱!" 농담으로 들었는지 하얀 이를 드러내며 웃는다.

"자이언츠 마키타 씨가 퍼펙트게임 했을 때, 3루 수비 기회는 제로였지. 3루수가 나가시마 주니어였거든. 그런 게 진정한 프로 아니겠냐."

"네에, 네에." 웃음을 참으며 고개를 끄덕였다.

소용없는 짓인가 보다. 터벅터벅 수비 위치로 돌아왔다.

게임이 시작되었다. 1번 타자가 타석으로 들어서자 무릎이 떨리기 시작했다. 어차피 이쪽으로 보내실 거면 라이너나 플라이로 날려주세요, 신에게 기원했다. 바라던 대로 결과는 삼진아웃이었다.

안도감과 동시에 온몸에 땀이 솟았다. 이대로 9회 말까지 넘길 수는 없겠지. 땅볼이 나올 건 불을 보듯 뻔하다.

2번 타자는 센터플라이를 날렸다. 야구방망이가 공을 때릴 때마다 신이치는 가슴이 오그라들었다.

그리고 3번 타자가 야자키였다. 야자키가 몸을 움직이며 3루 쪽을 노려보았다. 안 좋은 예감이 들었다. 파워를 자랑하는 야자키는 팽팽한 빨랫줄 타구를 전문으로 치는 우타자였다.

투수가 던진 초구는 안쪽으로 휘어든다. 신이치는 '으악' 하고 속으로 비명을 질렀다. 맑고 높은 타구 소리가 울려 퍼졌다. 처리하기 까다로운 땅볼이 3루 베이스 부근으로 날아들었다.

생각하고 말고 할 여유도 없었다. 멋대로 몸이 반응을 보였다. 옆으로 날면서 공을 잡았다. 일어선다. 뒤로 돌아서자마자 1루수를 향해 있는 힘껏 공을 던졌다.

공이 오른쪽 방향으로 빠진다. 현기증이 났다. 아아, 올 것이 왔다. 자기 에러로 1루를 내주는 꼴이다. 결국 이렇게 입스가 들통 나는군…….

하지만 결과는 달랐다. 신이치가 던진 공이 주자인 야자키의 옆구리를 맞춰버린 것이다. 야자키가 1루 베이스 코앞에서 고꾸라졌다.

엇? 이게 뭔 일이야? 인공 잔디 위에 멍하니 서 있었다. 선수 전원이 그 자리에 얼어붙었다.

"저 개새끼가!" 야자키가 시뻘게진 얼굴로 일어섰다. "반도! 이 새끼, 일부러 노린 거지." 야자키가 헬멧을 두드려 눌러 쓰더니, 신이치를 향해 멧돼지처럼 돌진해 왔다. 관중석이 술렁였다.

어어, 이를 어쩌나…….

순식간에 내린 판단으로 신이치는 글러브를 벗어던지고 싸울 자세를 취했다.

"정말 성가시게 하네. 비열한 새끼가!" 자기도 모르게 말이 술술 흘러나왔다. 잘은 몰라도, 그렇게 하는 편이 낫다는 생각이 들었다.

야자키가 몸을 부딪쳐 왔다. 정면으로 들이받으며 등에 주먹을 한 방 먹였다.

곧바로 양 진영이 뒤엉키면서 난투극이 벌어졌다. 펀치를 몇 대 얻어맞고 신이치도 후려쳤다. 그라운드에 넘어지자 사람들이 그 위를 덮쳤다. 자기가 난투의 중심이 된 건 처음 있는 일이었다.

팀 동료가 끌어내줘서 산처럼 쌓인 사람들 밑에서 겨우 빠져나올 수 있었다. 곧바로 "퇴장!"이라고 외치는 심판의 날카로운 목소리가 들렸다.

"손을 먼저 댄 건 저쪽이라구요!" 신이치는 심판에게 대들었다. 물론 본심은 아니다.

"반도! 이 새끼, 기억해두마." 야자키가 어깨를 붙들린 채로 악다구니를 쳤다. 그 역시 퇴장당한 모양이다.

흥분한 상태에서도 신이치는 천만다행이라는 생각이 들었다. 들통 나지 않고 끝났다. 매스컴의 비난이 쏟아진다 한들, 입스가 알려지는 것보다야 훨씬 낫다.

3

〈반도, 다섯 경기 출장 정지 처분. 개막전 전대미문 사건〉

〈반도 벌금 50만 엔. 악송구에 관중석도 아연실색〉

스포츠 신문마다 1면 기사로 다뤘다. 사이클 히트를 쳤을 때도 3면이었는데, 아이러니한 일이 아닐 수 없다. 구단 측은 상을 찌푸렸지만, 현장에서는 재미있어했다. 본능적으로 싸움을 좋아하는 무리들은 "너도 제법 하던데"라며 웃는 얼굴로 가슴을 쿡쿡 찔렀고, 야자키를 싫어하던 선수는 악수까지 청했다. 아무래도 자기는 매파로 각인된 듯하다.

아무럼 어때. 어쨌든 위기는 모면했다. 출장 정지는 유예 기간이 주어졌음을 의미한다.

신이치는 신문을 뭉쳐 로비 구석에 있는 쓰레기통을 향해 던졌다. 벽에 부딪치며 튕겨져 나왔다.

"이것 보세요. 그건 병원 열람용이라구요." 나이 지긋한 간호사가 무서운 얼굴로 야단쳤다. 신이치는 황급히 사과했다.

이라부는 정원에 배팅 연습용 네트까지 설치해놓았다. 야구 용품도 모두 사서 한 벌을 갖췄다. 아무래도 공놀이에 푹 빠져든 것 같다. "반도 씨, 오늘부터는 타격 연습이야." 잇몸을 드러내며 웃었다.

무슨 생각을 하고 사는지, 원. 일은 어쩌고, 일은.

"선생님, 요즘 2, 3일 동안 잠을 못 잤습니다. 신경안정제 처방을 좀 해주셨으면 하는데."

"오케이~. 이따 1년치 줄게. 붕대도 오래된 거 많이 남아 있으니까 가져가고."

머리가 지끈거렸다. 두통약까지 받아 가야 할 것 같다.

"자, 빨리빨리." 이라부가 방망이를 들고 자세를 잡았다. 마지못해 토스 배팅을 해주기로 했다.

신이치가 공을 토스하고 이라부가 스윙을 한다.

이라부가 허공에다 방망이를 휘둘렀다. 그것도 방망이와 공이 30센티미터나 빗나갔다.

"선생님, 공을 똑바로 봐야죠." 신이치가 퉁명스럽게 말했다.

"흠, 이상하네. 잘 보고 있는데."

"상체가 지나치게 흔들려요. 허리에서 머리까지 쇠막대기로 고정되어 있다는 이미지를 떠올리면서 스윙할 것."

"흐음, 역시."

그래도 허사였다. 기본적으로 타이밍이라는 게 맞질 않는다. 게다가 심한 어퍼 스윙이다.

"잠깐 방망이 줘봐요." 귀찮지만 시범을 보여주기로 했다.

신이치는 이라부가 토스해주는 공을 날카롭게 쳐냈다. 욕구불만이 쌓여 있던 터라 연속해서 신경질적으로 공을 쳐댔다.

통쾌한 소리가 정원에 울려 퍼졌다. 차츰 기분이 고조되었다.

스텝을 넓히고 풀스윙을 했다. 새로 산 네트가 크게 흔들렸다.

"대단해, 정말 대단해. 역시 프로야." 이라부가 손뼉을 치며 즐거워한다. 땀을 흘리고 나니 기분이 조금 상쾌해졌다.

안달할 필요는 없다. 나에겐 배팅도 있다. 9년 동안 3할대 타율을 어렵지 않게 달성하지 않았던가.

"근데 말야, 야구는 생각하면 할수록 독특한 스포츠란 말이지. 둥근 공을 둥근 방망이로 치잖아. 테니스나 탁구는 라켓이고, 배구는 손인데. 최초로 야구를 한 사람은 틀림없이 엄청 희한한 인간이었을 거야." 이라부가 말했다.

"뭐어…… 그렇긴 하네요." 신이치가 맞장구를 쳤다. 하지만 이전에는 그런 생각을 해본 적도 없었다.

"그리고 공을 보고 친다고는 하지만, 임팩트 순간까지 보는 건 아니잖아. 하긴, 끝까지 보면 공을 치기엔 너무 늦지."

말문이 막혔다. 틀림없는 말이다.

"다시 말해서 시속 150킬로미터로 날아오는 공을 적당한 지점에서 코스를 파악하고, 그 다음엔 감으로 휘두르는 게 배팅이잖아."

감? 그런가? 그건 그렇다 치고, 이라부는 대관절 바보인가, 이론가인가.

"그러니까 방망이 중심에 공을 맞추는 것도 확률로 따지자면 몇만 분의 일에 불과한 거지."

신이치의 마음속에 잿빛 공기가 번져나갔다. 손에 든 방망이가 갑자기 기이한 물건처럼 느껴졌다. 대체 이런 물건을 누가 발명해낸 걸까. 왜 라켓이 아니지? 이번에는 머릿속에 안개가 낀 것 같은 감각이 밀려왔다. 마른침을 삼켰다. 불길한 예감이 들었다.

"선생님, 다시 한 번 토스해주시겠어요."

이라부가 던진 공을 겨냥해 스윙을 한다. 허공에 방망이를 휘둘렀다.

등에 오한이 느껴졌다. "한 번 더." 목소리가 떨렸다.

다시 허공에 대고 휘둘렀다. "한 번 더!" 목소리가 갈라졌다.

또다시 헛스윙이었다. "한 번 더!" 울부짖음에 가까운 소리였다.

역시 헛스윙이었다.

"으아~악!" 신이치가 비명을 질렀다. "도대체 왜 사람을 미궁에 처넣는 말만 하시는 겁니까! 이쪽까지 전염돼버렸잖아요!"

"내 탓이 아니잖아." 이라부가 입을 삐죽거린다.

"내일부터 어떡하냐구요!"

"신경 쓸 일 아냐. 생명엔 아무 지장도 없는데, 뭐."

현기증이 났다. 그대로 주저앉고 말았다. 배팅까지 엉망이 되고 말았다. 이제 자기는 허수아비에 불과하다. 어쩌다가 이런 꼴이 되어버린 걸까. 몇 주 전까지만 해도 팀의 주전선수였는데.

신이치는 하늘을 향해 큰 대 자로 누워버렸다. 남의 속도 모르는 봄 햇살만 쨍쨍 내리쬔다.

"내가 뭐라던? 그러니까 좀 쉬랬잖아." 후쿠바라가 허리에 손을 얹고, 어이없다는 표정으로 신이치를 타일렀다.

"쉬어서 낫기만 한다면 쉬겠지. 하지만 집에 가만있으면 야구를 아주 잊어버릴 것 같다니까. 스윙과 배팅 이미지도 더 이상 떠오르질 않아. 이대로 가다간 스파이크 신는 법도 잊어버릴 거야."

"그건 지나친 생각이지. 야구를 몇 년 했는데. 20년은 거뜬히 넘었을 거 아냐. 머리는 한순간 잊는다 해도 몸은 확실히 기억하니까 걱정 마라. 너는 머리가 앞서서 몸 움직임을 가로막는 거라구."

"그럴지도 모르지……. 그래도 연습해야 돼. 난 하나부터 다시 고쳐나갈 거야."

방망이를 메고 네트를 향해 걸어갔다. 후쿠바라가 너 같은 골칫덩이는 처음 본다는 듯 고개를 절레절레 흔들었다.

기본으로 돌아가 티배팅부터 시작하기로 했다. 티에 볼을 세팅시키고 방망이를 휘두른다.

맞았다. 후유 하고 가슴을 쓸어내렸다. 지금 자기가 할 수 있는 건 팔을 높이 쳐들어서 투구하는 것과 고정된 공을 치는 것…… 손가락으로 세면서 확인한다.

"내 말 좀 들어봐, 반." 후쿠바라가 인상을 찌푸렸다.

그때 실내연습장으로 사람들이 우르르 몰려 들어왔다. 코치와 신인선수들이었다.

"어이, 반. 잠깐 자리 좀 빌려줘. 가끔은 매스컴 없는 데서도 연습을 시켜야 할 거 같아서. 밖에 있으면 24시간 내내 카메라가 노리니까. 안돼서 말이지."

"아 네, 쓰세요……." 신이치는 공을 치우고 자리를 내줬다.

루키 중 스즈키 혼자만 송구스럽다는 듯 인사를 한다. 모자를 살짝 들어올리자, 옅은 갈색으로 물들인 긴 머리칼이 출렁 흔들렸다.

세월 참 많이 변했군, 신이치는 생각했다. 자기가 루키 시절에는 장발 같은 건 절대로 허락해주지 않았다. 선배보다 앞서 연습하는 건 상상조차 할 수 없는 일이었다. 구단이 응석을 받아주는 쪽으로 변한 것이다.

젊은 독신 선수는 그 자체만으로 여성 팬들을 끌어들인다. 영업 측면에서는 실력보다 관객 동원력을 우선시하는 면이 없지 않다.

신이치는 네트 가장자리 벤치에 앉아 캔에 든 스포츠 드링크를 마셨다. 그리고 신인 선수들이 수비 연습하는 모습을 구경했다. 스즈키는 3루에서 연습 타구를 받고 있었다. 바로 코앞이다.

기본은 갖춰졌지만, 글러브 다루는 폼이 아직 굳어 있다. 송구도 부드럽지는 않다. 한마디로 아직 숙련이 덜 된 것이다. 포구에서 송구까지 일련의 동작이 강물 흐름처럼 부드러워야 한다.

하긴, 자기도 처음 1년째는 그랬다. 당시 감독이 실수를 눈감아준 덕분에 레귤러가 될 수 있었던 것이다.

타구에 회전이 붙어 불규칙적인 바운드 볼이 나왔다. 스즈키의 글러브를 스치며 안면을 때린다.

신이치는 깜짝 놀랐다. 눈에 맞을 것처럼 보였다. 스즈키는 얼굴을 감싸 쥐며 그 자리에 쓰러졌다.

"야, 괜찮아!" 코치가 황급히 달려갔다. "얼른 얼음하고 타월 가지고 와!" 큰 소리로 외쳤다.

루키 하나가 달려 나갔다. 다른 선수들은 모두 스즈키 주위로 몰려들었다.

신이치도 엉겁결에 자리에서 벌떡 일어섰다. 목을 길게 빼고 상황을 살폈다. 혹시 눈을 다쳤다면 치명적이다. 특히, 동체 시력은 교정할 방법이 없기 때문에 야구 생명까지 좌우할 수 있다.

그런 생각이 드는 순간, 몸에 이상야릇한 감각이 느껴졌다. 마음속에 드리웠던 안개가 활짝 개는 기분이었다.

무심코 발아래를 내려다보니 공이 떨어져 있었다. 공을 집어 든다. 홈베이스에 있는 캐처에게 아무 생각 없이 공을 던졌다.

흰 공이 깔끔한 궤도를 그리며 날아갔다. 스트라이크였다.

엇? 신이치는 입을 쩍 벌린 채 그 자리에 못 박힌 듯 서 있었다. 묘한 공허감을 맛본다.

지금, 자신은 머리 위로 크게 휘두르지 않았다. 폼을 의식하지 않고, 되는 대로 던졌다. 그런데도 폭구가 나오지 않은 것이다. 온몸에 열기가 번져나갔다.

급히 주위를 돌아보며 후쿠바라를 찾았다. 네트 뒤에서 뒷정리를 하고 있었다. 신이치가 한달음에 달려갔다. 후쿠바라에게 매달려 다짜고짜 캐치볼 상대를 해달라고 했다.

"왜 이래, 갑자기." 후쿠바라가 성가시다는 듯 미간을 찡그렸다.

"지금, 뭔가 감이 잡힌 거 같아. 부탁이다. 잊어버리기 전에."

흥분한 신이치의 모습에 기가 눌렸는지 후쿠바라가 글러브를 꼈다. 그리고 둘은 좁은 통로에서 캐치볼을 했다.

평소대로 던져도 스트라이크가 들어갔다. 원하는 방향으로 공이 날아가는 것이다. 사이드스로도 던져봤다. 스트라이크였다. 마음이 삽시간에 밝아졌다. "됐다, 됐어!" 신이치는 신이 나서 덩실거렸다.

후쿠바라도 싱글거리며 기뻐했다. "오호, 갑작스런 부활이시네. 약삭빠른 놈."

지금 상태라면 수비를 맡아도 너끈히 송구할 수 있을 것 같다. 아니, 틀림없이 할 수 있다. 머릿속에 이미지가 그려졌다.

그때 연습장에 웃음소리가 울려 퍼졌다. 떠나갈 듯한 코치의 웃음소리였다.

"에끼, 사람 겁주기는. 눈을 감싸 쥐기에 거기 맞았는지 알고 덜컥했잖아."

뒤를 돌아보니 스즈키가 고개를 꾸벅이는 모습이 보였다. 주위를 둘러싼 선수들도 하얀 이를 드러내며 웃었다.

"혹 생겼으면 괜찮은 거다. 침이라도 발라주랴."

"아, 아니, 괜찮습니다." 스즈키가 놀라 도망치자, 모여 있던 무리들이 왁자그르르 웃어댄다.

뭔 소리야, 겨우 혹이었어? 사람 가지고 장난치는 거야 뭐야. 한숨이 흘러나왔다. ……어쨌거나 다행은 다행이다. 인기 절정의 루키가 나오자마자 좌절해버리면 야구계 전체의 손실이다.

다시 공을 던졌다. 엄청난 폭구였다.

"야, 왜 또 이래." 후쿠바라가 공을 주우러 달려간다. 머릿속 이미지는 깡그리 사라지고 말았다. 순식간에 도로아미타불이다.

신이치는 고개를 떨어뜨렸다. 서서히 핏기가 가셨다.

마음 한구석에 숨어 있던 불안감을 여태껏 애써 외면해왔다. 의식하는 것조차 자존심이 허락하질 않았다. 그러나 이제 더 이상은 도망칠 수 없다. 인정하지 않을 수 없다.

스즈키가 입단하고부터 기분이 개운치 않았다. 감독과 악수하는 뉴스 화면이나 여자 아나운서들이 교태를 부리며 다가가는 광경 따위를 볼 때마다 조금씩 조바심이 나기 시작했다. 매스컴은 '킹카' 루키에게 떼를 지어 몰려들었다. 자기가 쌓아온 것들이 완전히 무시당하는 것 같아 부아가 났다.

자신은 질투를 하고 있었다. 좀 더 정확히 말하자면 두려웠던 거다.

"으응, 이것 좀 봐. 멋지지."

이라부가 진찰실에서 야구 유니폼을 펼쳐 보였다. 가슴에는 'DOCTORS' 란 문자가 수놓아져 있었다. 이건 또 뭐 하자는 소린지 원. 소매에는 'LV' 마크가 보였다.

"우리 병원, 야구팀이 있는데 거기 입단하게 됐어. 나 혼자만 특별 주문한 유니폼을 입긴 하지만."

"아 네, 그래요, 잘됐네요." 신이치는 마음에도 없는 답변을 했다.

"병원 경비로 야구 용품 한 세트 기부하기로 했지. 그 대신 시합에서 3루수로 뛰게 됐다구."

"호오, 엄청 좋은 팀에 들어가셨나 봅니다."

빈정거렸지만, 알아듣질 못하는지 마냥 즐거워한다.

"왜 그래. 반도 씨. 기운이 영 없네."

"있을 리가 있습니까." 자기도 모르게 그만 침을 튀기며 말했다. "저는 입스 때문에 밑바닥까지 곤두박질쳤다구요."

"신경 쓸 거 없다니까 그러네."

"신경이 쓰입니다." 눈을 부라리며 말했다.

"그런 말을 하면 제대로 걷지도 못하게 돼."

"……무슨 소리죠?"

"전에 그런 환자가 있었거든. 걷는 법을 잊어버린 환자. 오른 발을 내딛으면 오른손이 따라 올라가는 거야. 로봇 걸음걸이였지."

머릿속으로 상상해봤다. 꿀꺽 하고 침 넘어가는 소리가 들렸다. 아냐, 안 돼. 이제 자신은 상상만 해도 실제로 그렇게 되어버리고 만다.

"반도 씨, 한번 걸어봐. 제대로 걸을 수 있어?"

"왜 자꾸 그딴 소리만 하시는 거죠?" 턱을 쑥 내밀며 따지고 들었다. 그러나 혹시나 싶어 한번 걸어보기로 했다. 어떻게든 안심하고 싶었다.

일어서서 발아래를 내려다본다. 대부분 오른발이 먼저 나가니까……. 첫발을 내딛는 순간, 동시에 오른팔이 앞으로 나가고 말았다.

"으아~악!" 비명을 질렀다. 자신이 로봇처럼 걷고 있는 것이 아닌가.

"아하하하하." 이라부가 배를 움켜쥐고 웃어댔다. "내가 뭐랬어. 신경 쓰면 안 된다니까."

"어떻게 하실 겁니까!" 얼굴이 시뻘겋게 달아올랐다.

"어~이 마유미짱, 주사 제일 굵은 걸로!"

간호사가 동물용처럼 보이는 핫도그만한 주사기를 들고 나타났다. 바늘이 거의 못 수준이다.

이건 장난이 아닌데. 신이치는 벌떡 일어나 도망쳤다.

"에이, 못 걷는다더니 뛰기만 잘하네."

퍼뜩 제정신이 들었다. 반사적으로 문까지 곧장 내달렸던 것이다. 온몸에 힘이 다 빠졌다.

"선생님, 제발 그만 좀 하세요." 화가 치밀어 올랐다.

"입스는 부정적인 쪽으로 암시를 걸기 쉬운 법이지. 아하하."

"아하하라뇨. 환자를 장난감 다루듯 하면서. 저는 카운슬링을 받으러 온 거라구요."

"뭔데 그래. 하고 싶은 말이라도 있는 거야?"

"있었지만, 이제 됐습니다. 다른 병원으로 가죠."

"아~이, 그러지 마~." 이라부가 난데없이 애교 섞인 목소리를 냈다. 그러더니 섬뜩하게 신이치의 옷소매를 잡고 늘어졌다. "이제야 겨우 친구 됐는데."

"친구는 무슨 친구." 손을 홱 뿌리쳤다.

"음, 오래된 내시경 줄게. 몰카엔 그게 최고야."

"필요 없어요."

"뢴트겐 장치는?"

"필요 없다니까요."

허탈감이 몰려들었다. 손바닥으로 얼굴을 문질렀다. 이라부는 괴짜 정도에 그치는 게 아니다. 상식 틀 밖에서 살아가는 인간이다.

아니, 심지어 인간인지 아닌지 의심스럽기까지 하다. 종합병원 지하실에 붙어사는 어린 요괴. 혼란에 빠진 환자들을 데리고 노는…….

얼굴을 든다. 이라부와 눈이 마주쳤다. 이라부가 잇몸을 드러내며 빙그레 웃는다.

"응, 얘기해봐."

"아니, 실은 말입니다……." 제멋대로 입이 움직였다.

"이런! 확실한 원인이 따로 있었네." 이라부가 양손을 머리 뒤로 넘겨 깍지를 끼면서 소파에 깊숙이 파묻힌다. "힘들겠다, 프로야구 선수도."

신이치는 솔직하게 루키에 대한 반감을 고백했다. 상대가 실력과는 상관없는 면으로 인기를 끄는 것에 대한 분노, 베테랑은 제쳐두고 마치 사활이 걸린 문제라도 되는 양 대대적으로 선전하는 구단 태도에 대한 불만, 모든 걸 다 털어놓았다. 아마도 상대가 이라부였기 때문에 가능했으리라. 보통 의사였다면 아마 훨씬 더 체면을 차렸을 것이다. 자기 약점을 토로하는 일 따위는 없었을 것이다. 이라부에게는 비밀을 털어놔도 아무렇지 않았다.

"그래도 원인만 알아내면 그 다음은 간단해. 원인을 없애버리면 되니까."

"없애버려요?" 신이치가 몸을 쑥 내밀며 가까이 다가앉았다. "무슨 대책이 있는데요?"

"그 루키가 부상을 당하게 만들거나."

"……어떻게요."

"그거야 기습하는 거지. 우에노 공원에 떠돌아다니는 외국인을 고용하면 30만 엔 정도면 끝내줘."

이라부를 쳐다본다. 아무리 봐도 농담을 하는 것 같진 않다.

"아예 재기를 못할 정도는 아니더라도 1년 정도 쉽게 만들면 되는 거잖아. 매스컴에서도 금방 시들해질 거고. 요컨대 초장에 꺾어버리면, 나중엔 저절로 사라져버린다는 말이지."

"저기요……."

"약육강식의 세계에선 사람 좋은 놈이 지게 마련이거든."

"아무리 그래도 기습 공격 같은 짓을 할 수는 없죠."

"독약 먹이는 건?"

"못 해요."

"그럼 뭐, 하는 수 없지. 그대로 사는 수밖에."

신이치는 입을 다물었다. 어처구니없는 소리다. 일단 그런 건 범죄다. 발각이 나면 엄청난 스캔들거리다.

그런데도 마음 한구석에 끌리는 면이 전혀 없는 건 아니다. 결국 자신이 바라는 게 바로 그런 일이다.

"뭐, 고민한다고 해결되는 것도 아닐 테니 연습이나 하자."

"또요?"

"좋지 뭘 그래. 하자, 응? 특별훈련, 특훈!"

정원에서 이라부의 배팅 연습을 상대해주었다. 이라부에게서 발전 가능성은 추호도 찾을 길이 없었다. 대부분 헛스윙이고, 입이 닳도록 말해도 여전히 어퍼스윙이다.

그런데도 재미있어했다. 눈빛이 초롱초롱 빛났다.

4

〈후지하라 도모코도 흐물흐물? 특급 루키 스즈키에게 뜨거운 시선〉

〈스즈키와 단둘이 사진 촬영, 도모코는 연하 취향?〉

시합이 없는 날은 또 이 모양이군. 기껏 연예인이 연습 구경 온 걸 가지고 난리를 치다니. 그것도 지들이 부러 연출해서 만들어놓고……

신이치는 무거운 한숨을 토해내고, 스포츠신문을 접어 벤치 옆에 내려놓았다.

개막전 준비를 위해 팀은 도쿄에 자리를 잡았다. 앞으로, 몇 차례의 연습경기와 간토 지역 부근에서 열리는 개막전을 치르게 된다. 가디건즈 연습장에는 1, 2군 전원이 집합해 있었다.

신이치는 그들 무리에 끼지 않았다. 이번에는 손목이 아프다는 거짓말을 꾸며냈다. 손목인 경우, 수비와 타격 연습을 다 빠질 수 있다. 이라부에게 부탁하니 아주 쉽게 '건초염(腱鞘炎)' 진단서를 써주었다. 코치에게 진단서를 보여주자, 별반 걱정도 안 되는 듯 "그래? 몸조리 잘해"라고 말할 뿐이었다.

네모토 감독은 떨떠름한 표정을 지었다. "내가 방임주의이긴 하지만, 응석이 너무 심한 거 아냐. 자기관리 안 되는 놈은 쓸 수가 없지."

지당한 말이다. 할 말이 없다. 이런 상황에는 아무리 베테랑이라고 해도 주눅이 들 수밖에 없다. 아무것도 안 할 수는 없는 노릇이라 후쿠바라와 둘이서 외야를 달렸다.

"야, 반. 차라리 커밍아웃하는 게 어때. 의외로 좋은 어드바이스를 얻게 될지도 모르잖아."

"농담하지 마. 다른 사람들에게 알려질 바엔 차라리 이대로 은퇴하는 게 낫다."

정말로 그렇게 생각했다. 요즘 들어 신이치는 완전 무기력 상태에 빠졌다. 통장 잔액을 확인하며, 연일 레스토랑이라도 해볼까 하는 공상만 한다.

그날 밤은 선수단이 주최하는 식사 모임이 있었다. 매년 개막을 앞두고 서로 친목을 다지고자 여는 연례행사다. '가고 싶지 않다'고 말했다가 선수 회장에게 한소리 들었다.

"내야수를 이끄는 역할이잖아. 니가 안 가면 어떡해."

어쩔 수 없이 참석했다. 도쿄 시내 중국 레스토랑의 둥근 테이블에 자리를 잡고 앉았다. 맞은편에 스즈키가 보였다.

스즈키는 신이치를 정면으로 쳐다보려 하지 않는다. 어려워하는 거겠지. 매스컴이 죽어라 자기만 쫓아다니는 걸 나름대로 마음에 두고 있는지도 모른다.

가만 생각해보면 스즈키 본인은 잘못한 게 하나도 없다. 잘

생긴 외모야 타고난 거고, 장발도 스물두 살 젊은이로서는 당연한 일이다. 그의 존재 자체를 싫어하다니, 내 심보도 참말 가관이다.

스즈키는 말없이 음식을 먹고 있었다. 자그마한 얼굴, 시원스럽게 쭉 뻗은 콧날, 늠름해 보이는 눈썹, 미남자의 조건을 완벽하게 갖추고 있다. 구단이 자랑거리로 내놓으려는 것도 당연한 일이다.

하물며 아마추어도 아닌 프로인데 오죽할까. 시합이라 부르긴 하지만 어쨌든 흥행사업이니, 관객이 들어야 제일이다. 인기도 실력에 포함된다.

신이치는 점점 더 무기력해졌다. 역시 때가 온 걸까. 입스는 신이 내린 운명인가.

"어이, 신인. 어려워하지 말고 마셔."

신이치가 스즈키에게 술을 권했다. 의식하고 있다는 걸 들키고 싶지 않아서 부러 여유 있는 척 행동했다.

스즈키가 송구스러워하며 술잔을 내밀더니 한잔을 쭉 들이킨다. 꽤나 마시는 품새다.

"오호, 믿음직한 신인인데." 다른 사람들도 목소리를 높였다.

"대학에서 단련이 돼서." 스즈키가 나지막이 대답했다.

"자, 실컷 마셔. 내일 휴일이지?"

"하지만 기숙사 시간이……."

"걱정 마, 걱정 마. 내가 기숙사에 얘기해줄게."

"그럼, 마음 놓고 마시겠습니다."

다시 단숨에 술을 털어 넣는다. "어어, 이거 큰 잔이 필요하겠는데." 신이치가 웨이터에게 큰 잔을 가져오라고 시켰다.

"그건 그렇고 스즈키는 발렌타인 초콜릿 몇 개나 받았나?"

"저어, 삼백 개 정도 됩니다." 쑥스러운 듯 말한다.

"짜식, 난 긴자 호스티스가 예의상 준 초콜릿밖에 없는데."

"죄송합니다."

"스즈키, 이건 있냐?" 젊은 선수 중 하나가 새끼손가락을 치켜세우며 물었다.

"어어, 뭐 그냥……." 스즈키가 머리를 긁적였다.

"좋았어, 매스컴에 좀 흘려줘야겠다. 《프라이데이(일본 사진 주간지)》에 찍히게 만들어서 팬도 좀 줄여주자구."

모두들 웃어댔다. 스즈키도 긴장이 풀린 듯 보였다.

변변히 대화를 나눈 적은 없지만, 틀림없이 좋은 녀석인 것 같다. 대학 시절에는 캡틴 역할을 했다고 들었다. 인망(人望) 없이는 캡틴이 될 수 없다.

스즈키는 권하는 족족 마셔댔다. 얼굴색 하나 변하지 않는 모습이 놀라울 뿐이다.

2차는 긴자에 있는 술집으로 떼 지어 몰려갔다. 스즈키도 함께 갔다. 최고 스타 루키가 왔다고 호스티스들이 호들갑을 떨어대는 바람에 술자리는 한층 더 흥청거렸다.

스즈키는 위스키도 잘 받는 체질이었다. 온더록을 거침없이 들이켰다. 그 후, 술집 몇 개를 더 돌며 마셔댔다. 호스티스들이 좋아라 하니 신이치 일행도 의기양양해졌다.

그러다 정신을 차려보니 어느새 새벽 두 시가 넘어, 길가에서 해산하기로 했다. 택시를 잡아 어린 순서대로 태워 보냈다. 그런데 스즈키의 모습이 보이지 않았다.

"어, 스즈키는?"

"소변이라도 보나 보죠."

신경도 쓰지 않고 모두 다 가버렸다. 마지막에 신이치 혼자만 남아 막 택시를 잡으려는 순간이었다.

"야 이 새끼야, 개기겠다는 거야!" 등 뒤에서 날카로운 목소리가 들려왔다. 스즈키 목소리다. 무슨 일인가 싶어 뒤를 돌아다봤다. 스즈키가 바로 앞 골목에서 언뜻 보기에도 야쿠자 냄새가 나는 두 사내와 마주 서 있었다.

"어깨 좀 부딪쳤다고, 잠깐 보자니. 니들 양아치야. 꺼억."

스즈키는 휘청거리는 다리로 금방이라도 덤벼들 듯이 소리쳤다.

뭐야, 저 자식, 사고뭉치 주정뱅이잖아. 스즈키가 술버릇이 나쁜가……. 신이치는 당혹스러웠다. 프로야구 선수가 거리에서 싸움을 하면 틀림없이 신문에서 야단이 난다.

"뭐야 이 잔챙이 새끼는. 우리가 누군지 알고나 있냐." 사내들이 위협했다.

"야, 이 자식, 아는 놈인데. 가디건즈 스즈키 새끼야."

큰일이다. 상대는 스즈키를 알고 있다. 야쿠자들이면 다쳤다고 협박하며 돈을 요구할 게 불을 보듯 훤하다. 뜯어말려야 한다…….

그런데 다리가 움직이질 않았다. 두려운 건 아니다. 음흉한 생각이 고개를 쳐들었다.

싸움을 하면 최소 1개월 정도는 근신 처분을 받는다. 당분간 시합에 나가지도 못한다. 무엇보다 세간의 공격이 가장 무섭다. '꽃미남' 루키의 인기는 땅바닥으로 곤두박질치는 것이다.

그것은 기습 공격을 하는 것보다 훨씬 효과가 크다. 게다가 제 발로 굴러 들어온 기회다. 이제, 자기는 이 장소를 떠나기만 하면 끝난다…….

입맛을 다셨다. 군침이 넘어갈 일이지만, 입 안이 바짝바짝 말라 있었다.

이라부가 말했다. 약육강식의 세계에서는 사람 좋은 놈이 지게 돼 있다고. 맞는 말이다.

신이치의 귓전에서 악마가 속삭인다. 못 본 걸로 해. 이걸로 네 위치도 안정되잖아. 입스도 금방 나을 거 아냐…….

"어라, 반도 씨 아냐." 누군가 어깨를 두드렸다.

"허~억." 깜짝 놀라 뒤로 물러섰다. 돌아보니 이라부가 양팔에 호스티스를 껴안고 서 있었다.

"이런 데서 만날 줄이야. 제약회사에서 접대를 좀 받았어. 늘 약을 대량으로 처방해주니까."

심장이 쿵쿵 울렸다. 땀이 솟구쳤다. 하필 이럴 때 나타날 게 뭐람. 이놈은 틀림없는 요괴다. 필시 어디선가 지켜보고 있었을 것이다.

"지금 가는 거야? 그럼 같이 가지 뭐. 방향도 같잖아."

머리가 핑핑 돌았다. 다리가 휘청거렸다. 이라부가 자기를 이곳에서 데리고 가려 한다. 이 음모를 돕기 위해 손을 뻗어주려 한다.

"선새앵~님, 꼭 또 와야 돼." 호스티스가 애교 섞인 목소리로 아양을 떨어대며 손가락으로 이라부의 볼을 찌른다.

"그럼, 다음엔 단골 장의사한테 접대하라고 시킬까. 쿠후후." 이라부가 코앞에서 수작을 부렸다.

호스티스가 택시를 세우더니 이라부와 함께 밀어 넣고 차를 출발시켰다.

"아 참, 내일 닥터즈 시합 있는데, 반도 씨도 구경 와라."

"그러죠 뭐……." 건성으로 대답했다.

"신난다~. 대타로 출전시켜줄 수는 있어."

"하아, 그래요……."

괜찮을까, 이래도……. 신이치는 스스로에게 물었다. 자기는 지금 죽인지 밥인지도 모르는 신인선수 혼자만 남겨두고 도망치려 한다. 그것도 비열한 이유 때문에. 내가 이런 사내였던가? 부끄럽지도 않단 말인가?

아니다, 모두 스즈키의 자업자득이다. 구해줄 이유가 없다.

이것도 프로 세계에 속하는 일이다. 그리고 이라부의 등장이야 말로 신이 내린 운명의 계시다. 신께서 요괴 이라부를 보내신 거다.

"내일 시합, 정말 기대된다. 도민(都民) 병원 팀과 하는 건데, 진 쪽에서 한 달간 응급환자 떠맡기로 했어."

신이치는 눈을 감았다. 술기운까지 더해져 몸이 더 휘어졌다.

"꼭 이겨야지. 여차하면 상대에게 클로로포름을 뿌려버릴 거야."

눈을 떴다. 고개를 세차게 흔들었다. 역시 이건 아니다. 자신은 스포츠맨이다. 정정당당하게 살아왔다. 비겁한 놈이 되고 싶진 않다.

"기사님, 내리겠습니다. 세워주세요!" 신이치는 앞으로 몸을 내밀며 말했다.

"어어, 반도 씨. 왜 그래."

의아해하는 이라부를 남겨두고 택시에서 뛰어내렸다. 인기척이 없는 거리를 전속력으로 달렸다. 부디 늦지 않게 해다오, 마음속으로 외쳐댔다. 심장이 목구멍까지 올라오는 것 같았다.

모퉁이를 돌았다. 헤어졌던 지점에 도착했다. 숨을 헐떡이며 주위를 둘러보았다.

"그니까 지금 한번 해보자는 거 아냐."

스즈키의 고함소리가 들렸다. 소리가 나는 방향으로 고개를 돌렸다. 골목 안쪽에서 아직까지 서로를 노려보고 서 있다. 다행이다. 아직 싸움이 벌어지지는 않은 것 같다.

"잠깐, 기다려." 신이치가 달려들어 사이를 벌리고 끼어들었다. "죄송합니다, 우리 어린 녀석이 그만 실례를 했군요. 술주정뱅이니 너그럽게 이해해주십시오."

"뭐야, 또 이 새끼는." 야쿠자가 노기를 드러내며 말했다. 덩치 좋은 사내가 둘씩이나 되다 보니, 약간 기가 죽었다.

"좋아, 이제 2 대 2네. 시작해볼까"라는 스즈키. 완전히 눈이 풀려 있었다.

"너, 바보야?" 너무 화가 나서 스즈키의 머리를 후려쳤다.

"엇, 이 자식, 반도잖아." 야쿠자 중 하나가 소리를 높였다. "가디건즈의 반도야."

"그렇습니다. 다음 경기에 내야석 초대권을 드릴 테니 좀 봐주십시오."

"입 닥쳐. 누가 그딴 거 필요하다던?" 야쿠자가 한발 앞으로 다가왔다. "야, 이 새끼야, 니가 지난번에 우리 야자키를 공으로 맞춘 놈이지."

"우리 야자키?"

"우린 오사카 브레이커즈 팬이란 말이다." 두 사람의 얼굴이 벌겋게 달아올랐다.

"아아, 아니, 그건 말이죠……."

"네놈은 용서가 안 되지. 야자키를 대신해서 복수를 해주마."

느닷없이 펀치가 날아왔다. 미처 피할 사이도 없이 신이치의 안면을 강타했다.

"이 새끼가!" 스즈키가 싸움에 뛰어들려 했다. 신이치가 다급하게 붙들었다. "놔주세요. 제가 복수를 하겠습니다."

"됐으니까 가만있어. 진정해." 신이치가 필사적으로 가로막았다.

이게 무슨 꼴이람. 화가 난다기보다 한심하다는 생각이 앞섰다. 내가 왜 이런 짓을 하고 있단 말인가.

"야, 반도. 어린놈 버르장머리 확실히 가르쳐줘라."

"브레이커즈 전에서 홈런 날리면 집을 불 싸질러버릴 테니 그리 알아."

야쿠자가 옷매무새를 추스르더니 멀어져갔다. 스즈키와 둘이서 그 자리에 털썩 주저앉았다. 완전히 진이 빠졌다.

급한 불은 껐다……. 안도의 한숨이 흘러나왔다.

"야, 스즈키, 휴일 지나면 노크 천 개야, 각오해." 손바닥으로 스즈키의 뺨을 때렸다. 반응이 없었다. 스즈키는 벽에 기대 눈을 감고 있었다. 입은 반쯤 열려 있었다. "야, 이 멍청한 새끼야. 이런 데서 자면 어떡해." 흔들어도 꼬집어도 깨어나질 않는다. 더 이상 화낼 기력조차 없었다.

신이치는 두 다리를 쭉 뻗대고 땅이 꺼져라 한숨을 내쉬었다. 천진난만하게 잠든 얼굴을 바라본다. 과연 프로 기질이 다분하다. 경험을 쌓으면 좋은 선수가 될 게 분명하다.

일어서서 스즈키를 들쳐 업었다. 밤길을 걷는다. 그대로 놔
둘 수는 없는 노릇이니.

"에헤춰~." 재채기가 나왔다. 티슈로 코를 푼다. 둥그렇게 말
아 쓰레기통에 던져보지만, 너무 가벼워서 들어가지 않았다.

벤치에 벌렁 드러눕는다. 옆에서는 마유미라는 간호사가 나
른한 모습으로 담배를 피우고 있었다. 유니폼을 입고 있는 걸
보니, 응원단이 아니라 팀원인 듯했다.

"이라부 선생님, 제발 부탁이에요. 살살 던져도 충분해요."

마운드에서 투수가 한심스럽다는 목소리로 말했다. 이라부
가 정면 땅볼을 잡아서 1루로 악송구했던 것이다. 상대편은 3루
에 구멍이 뚫렸다는 걸 이미 알아챈 것 같다.

"야아, 도민병원 돌팔이 의사들. 좀 더 어려운 땅볼을 쳐봐
라." 이라부가 말 같지도 않은 야유를 퍼부었다.

평화로운 휴일이다. 많은 이들이 파란 하늘 아래 펼쳐진 강변
운동장에 모여 동네야구를 하고 있다. 배가 나온 중년 사내가
보인다. 자세가 엉거주춤한 젊은이도 있다. 여자도 섞여 있다.

이번에는 외야수가 에러를 했다. 평범한 플라이를 글러브 가
장자리에 맞혀 떨어뜨리고 말았다.

별안간 웃음이 터져 나왔다. 하늘에는 종다리도 웃고 있다.
부럽다, 재미있어 보이는데, 신이치는 혼잣말을 중얼거렸다. 그
리고 상큼한 기분으로 구경했다.

이런 야구가 있다는 걸 신이치는 그동안 까맣게 잊고 살았다. 초등학교 4학년 때 소년 야구단에 들어가, 그 후로는 줄곧 이기기 위한 야구만을 해왔다. 연습 때는 이를 악물고 덤벼들었고, 팀 동료는 모두 라이벌이었다.

은퇴하면 동네 야구팀에 들어가자. 이기든 지든 웃는 얼굴이 사라지지 않는 팀으로.

하지만 그것은 훨씬 뒤의 이야기다. 적어도 앞으로 5년은 프로로 뛰고 싶다. 입스는 정면으로 맞서 이겨내면 된다. 이라부의 말대로 생명에는 지장이 없다.

지난밤에 되돌아가길 정말 잘했다는 생각이 들었다. 스즈키를 그대로 팽개쳐두고 사라졌다면 평생 자기혐오에 시달렸을 것이다. 자기는 정정당당했다. 비겁한 사람이 되지 않고 끝낼 수 있었다.

스즈키를 좀 더 알게 된 것도 다행스러운 일이다. 술에 취해 망가진 루키는 그저 스물두 살 평범한 청년에 불과했다. 보드란 뺨은 아직 세상을 모른다는 증거 그 자체였다. 오랜만에 어른다운 여유를 느꼈다. 자기 혼자 일방적으로 경계했던 것뿐이다.

벤치 옆에서 아이가 공을 가지고 놀고 있었다. 다섯 살 정도 된 꼬마였다. 공을 콘크리트 벽에 던지며 혼자 투수 흉내를 낸다.

"아저씨가 캐처 해줄까." 신이치가 말했다. 아이가 수줍어하는 표정으로 고개를 끄덕였다.

신이치는 5미터 정도 떨어진 곳에 쪼그리고 앉았다. "자, 던져도 돼."

심한 폭구였다. 어린아이니 당연한 일이겠지만.

또다시 이라부의 말이 떠올랐다. 제어력이란 게 뭐지. 사람은 언제 그것을 몸에 익히게 될까.

분명 명확한 해답 같은 건 없다. 오직 인간에게만 있는 불가사의한 학습 능력일 것이다.

산 모양을 그리며 스트라이크 하나가 들어왔다. "허어, 굉장한데." 칭찬을 해줬다. 아이의 눈빛이 반짝였다.

"지금 같은 느낌으로 던져봐."

연이은 스트라이크였다. 1미터 정도 뒤로 물러났다. 이번에도 스트라이크였다.

아기가 처음으로 혼자 일어서는 순간을 목격한 기분이었다. 이 아이가 성장하는 한 페이지에 자신이 함께하는 것이다.

"반도 씨, 뭐 하는 거야." 교대하고 들어온 이라부가 물었다. "이제, 수비는 지쳤어. 난 지명타자로 공격만 할 테니까, 반도 씨, 3루 좀 부탁해." 벤치에 앉아 어깨를 두드린다.

신이치는 아연실색했다. 이런 방자한 인간이 있나.

"안 되죠. 난 스로잉 입스잖아요."

"캐치볼 제대로 하면서 뭘 그래. 다 나은 거 아냐?"

"애 상대로 바운드 던져주는 것뿐이에요."

"그게 더 어렵지. 상대가 잡을 수 있게 같은 곳에 같은 각도로 바운드시키는 거니까."

대답할 말이 궁했다. 듣고 보니 맞는 말이다……. 전혀 의식하지 못했었다. 아이라 그저 보호자 같은 심정으로 했다. 마음을 비웠던 것이다. 순식간에 마음이 활짝 갰다. 들이마시는 공기가 상큼하게 느껴졌다.

"좋~아. 한 방에 홈런을 날려주지." 이라부가 콧구멍을 벌름거리며 타석으로 향했다.

정말 다 나은 걸까. 주술은 이제 풀린 걸까.

나은 것 같은 기분이 들었다. 여태껏 마음 한구석을 갉아먹던 불안감을 이제는 어디에서도 찾아볼 수 없다.

이미지도 떠오른다. 자기가 던지고, 치고, 달리는 모습이……

상대 벤치에서 웃음소리가 터져 나왔다. 이라부가 한가운데로 들어오는 절호의 공을, 연속해서 두 번이나 헛스윙을 한 것이다. 게다가 지나치게 크게 휘둘러서 엉덩방아를 찧고 말았다.

신이치가 목소리를 높여 야유를 보냈다. "어이, 투수. 그 타자는 견제구라야 쳐낸다구. 약간 높은 공이면 만사 오케이, 오케이~."

상대 벤치가 한층 더 술렁거렸다. 배를 잡고 뒹굴었다. "엇, 가디건즈 반도 선수 아냐" 하는 목소리도 들려온다. 그래, 그래, 이 분이 바로 골든글러브를 연속 수상한 반도 신이치다. "누구 편을 드는 거야~." 타석에 선 이라부가 분통을 터뜨렸다.

투수가 사람을 바보 취급하듯 산 모양의 슬로볼을 던졌다. 머리 높이 정도로 들어오는 얼토당토않은 공이었다.

이라부가 공 높이까지 뛰어오르며 방망이를 휘둘렀다.

곧이어, 창공에 쾌청한 소리가 울려 퍼졌다.

흰 공은 멋들어진 포물선을 그리며 펜스 너머 강 쪽으로 사라져갔다.

모두, 입을 헤벌리고 바라보기만 했다.

여류작가

1

"이번 주인공, 또 난치병 환자네요?"

전화를 한 편집자 아라이가 어색하게 밝은 목소리를 내며 말했다. '또' 라는 말이 거슬린 호시야마 아이코(星山愛子)는 "그럼, 교통사고로 하는 게 좋을까"라고 정중하게, 그러나 찬바람이 쌩쌩 부는 말투로 물었다.

"아니, 나쁘다는 뜻은 아닙니다." 기분을 건드렸다는 걸 알아챘는지, 아라이가 안절부절못한다. "근데 백혈병, 골육종에 이어서 나오니까……."

"잘됐네. 이번 교원병(膠原病)을 곁들여서 '병상의 사랑' 3부작을 만들면 되지."

"하아, 그렇군요. 죄송합니다. 그 생각을 못 했어요."

"정신 똑바로 차려요. 우리 같은 사람들은 그쪽이 어떻게 파느냐에 달려 있으니까."

감정을 억누르고 전화를 끊었다. 쳇, 마음에 안 들면 되돌려보내면 될 거 아냐. 원고 받고 싶어 하는 출판사는 얼마든지 있어. 제대로 팔지도 못하는 주제에.

속으로 욕설을 퍼붓고 나니 위 언저리가 화끈거리며 가벼운 구토 증세가 올라왔다. 아이코는 얼굴을 찡그렸다. 천하에 눈치

없는 편집자 같으니.

부엌으로 가서 냉장고에 넣어둔 생수를 꺼내 벌컥벌컥 들이
켰다. 요즘 들어 수분만 섭취한다. 단속적으로 트림이 올라오
고, 목이 타서 견딜 수가 없다.

서재로 돌아가 컴퓨터 앞에 앉았다. 마감이 얼마 안 남은 단
편소설을 쓴다. 시리즈물이라 스토리가 막히는 일은 없다. 도심
에 사는 남녀의 심층 심리나 취향을 예리하게 묘사해내는 데는
당대 최고라고 여성지에서 칭찬을 아끼지 않는다. 이번 테마는
'이별'이다. 뉴욕에 부임 중인 상사(商社) 직원과 도쿄에 사는
큐레이터가 이메일의 사소한 오해로 인해 마음이 멀어져가는
이야기다.

쓰는 속도는 빠른 편이다. 아이코는 스물여덟에 작가로 데뷔
해, 올해로 8년째를 맞는다. 그 동안 소설이나 에세이를 30권 넘
게 썼다. 서점이나 도서관 책꽂이에 그녀의 책들이 진열되어 있
다. 하긴, 오랜 친구인 프리랜서 편집자 나카지마 사쿠라는 "당
신 책은 속이 숭숭 비었잖아"라고 비꼬긴 하지만.

흥, 그런 말은 책을 못 내는 인간들의 편견이다. 이쪽은 베스
트셀러도 냈다. 텔레비전 드라마나 영화로 만들어진 작품도 있
다. 내로라하는 여류작가란 말이다.

타닥타닥 컴퓨터 자판을 두드린다. 화면을 바라보고 있자니
불과 몇 초 사이에 이야기 속 세계로 몰입해 들어간다. 어릴 때
부터 공상벽이 있었으니 소설가가 천직인지도 모른다. 잡지 칼

럼니스트로 시작해 별 어려움 없이 소설가로 변신했다. 밑바닥에서 고생하던 시절 같은 건 없었다. 타고난 재능이 있었기 때문이다.

한 시간 정도 쓰고, 주인공의 일상을 묘사하는 중에 갑자기 손이 멈췄다.

큐레이터? 어디선가 썼던 것 같은데……. 술렁술렁 마음이 혼란스러워졌다.

수화기를 들고 사쿠라에게 전화를 걸었다. 피차 독신인 처지, 사쿠라는 복고풍 아파트에서 고양이와 함께 산다.

"나카지마 씨, 밤늦게 미안한데 내 옛날 작품 중에 혹시 큐레이터가 주인공으로 나온 거 있었나."

"또야?" 사쿠라가 성가시다는 듯 목소리를 높였다. 거리낌이 없어 말하기에 편하긴 한데 영……. "지난번엔 아마 아로마테라피스트였지. 옛날 단편에 나오지 않았느냐고 물었던가. 미안한 말이지만, 난 그쪽 소설은 읽은 게 거의 없어."

"그래도 대충은 넘겨볼 거 아냐. 안 빼먹고 다 보내줬는데."

"훌훌 넘겨보는 정도지. 뭐, 특별히 당신 책만 그러는 건 아냐. 난 요즘 소설엔 관심이 거의 없어서 그래."

"참, 야박하기도 하시네." 아이코가 부루퉁하게 말했다. 사쿠라는 예전부터 현대소설을 읽지 않았다. 그러니 질투 때문인 것 같지는 않다.

"또 등장인물 직업 때문에 머릿속이 엉망진창이 됐나부지."

사쿠라가 코웃음을 치며 말했다. "그러게 내가 뭐랬어. 우유 가게 아들놈하고 주유소에서 일하는 여자애 이야길 쓰라니까. 그런 커플은 잊어버릴 수가 없지."

"이봐. 난 일단 도회파 작가로 장사를 한다고."

"도시에도 우유 가게는 있잖아."

"시시콜콜 따지는 소리 그만해. 이쪽 간판 문제가 걸려 있단 말야. 아 참, 그리고 상사 직원이 애인으로 나온 이야기도 있었던가."

말을 하면서도 아이코는 자신이 한심하다는 생각이 들었다. 이런 만만한 직업을 빼놓았을 리가 없다. 다섯 번 정도는 너끈히 등장시켰을 게다.

"내가 어떻게 알아, 그런 걸. 당신 소설은 은행원, 광고회사 직원, 디자이너…… 뭐 그딴 거 투성이잖아."

"어어, 읽었네."

"그럴 듯해 뵈는 연애 얘기 아냐? 안 읽어도 뻔하지."

이쯤 되면 아무래도 기분이 상할 수밖에 없다. 자기를 존경하지 않는 사람은 사쿠라 정도뿐이다.

"나카지마 씨, 요즘 무슨 일 해?" 아이코가 아니꼬운 말투로 물었다. 어차피 돈도 안 되고 중요하지도 않은 일을 하고 있을 게 뻔했다.

"일본영화 무크지. 젊은 감독들 인터뷰를 따냈어."

역시나 팔릴 것 같지 않은 기획이다. "그럼 나도 써줄까. 시사회에서 가끔 보거든."

"아니, 됐어. 확실한 평론가에게 부탁할 거니까."

벌컥 화가 치밀었다. 어째서 이 여자는 저명한 친구를 이리도 오만하게 대할 수 있는 거지?

전화를 끊고 땅이 꺼져라 한숨을 내쉬었다. 아무렴 어때. 그래도 내가 낫지. 그것보다 일을……. 눈을 감고 기억을 더듬는다. 큐레이터는 특수한 직업인 만큼 두 번씩 등장시킬 수는 없는 노릇이다.

등장시키지 않았을 것이다. 기억에도 없는 걸 보니…….

다시 쓰기 시작했다. 타닥타닥 자판을 두드린다. 주인공이 일을 마치고 돌아가는 길에 홀로 아자부에 있는 비스트로 (bistro)에 들러 낯익은 셰프에게 일에 관한 고민을 털어놓는다……

이게 아냐, 썼던 것 같아. 고개를 들고 벽 쪽 책꽂이로 시선을 돌렸다. 거기에는 그녀의 저서들이 꽂혀 있다. 대부분 뽀얀 색 계열의 책등이다. 저 속 어딘가에……. 아이코의 마음속에 불안한 기운이 점점 더 부풀어 올랐다.

아이코는 자리에서 일어나 책꽂이 쪽으로 걸어가 자기 작품들을 들춰보기 시작했다. 만약 썼다면 최근일 것이다. 큐레이터라는 직업을 알게 된 게 최근이기 때문이다.

홀홀 책장을 넘기며 훑어본다. 누드 촬영 카메라맨과 고지식하고 융통성 없는 여자 편집자, 인기 없는 재즈 뮤지션과 가스

미가세키(霞が關, 일본 관청거리)의 여성 관료, 젊은 천재 셰프와 철부지 여배우……. 그림이 잘 안 팔리는 화가가 나올 즈음에는 '혹시나' 싶어 간담이 서늘했는데 상대는 다행히 스튜어디스였다.

그렇게 최근 나온 순서대로 다섯 권 정도를 체크했다. 큐레이터는 나오지 않았다. 괜찮을 것 같다. 기분 탓이라 생각하고, 아이코는 다시 일을 시작했다.

대기 상태로 바뀐 컴퓨터에 스위치를 다시 넣고, 앞에 쓴 부분을 읽어보았다.

다시 자리를 박차고 벌떡 일어섰다. 그보다 전에 '학예연구관'이라는 명칭으로 등장시켰을지도 모른다는 의심이 솟구쳤기 때문이다.

책을 손에 들고 아이코는 '큰일이다'라고 중얼거리며 혀를 찼다. 지난달에도 한밤중에 똑같은 불안감에 휩싸여 저작 전체를 체크했던 것이다. 그때, 리스트를 작성해두었으면 좋았을걸.

책꽂이 앞에 쭈그려 앉아 최근작부터 거꾸로 되짚어 올라갔다. 차례를 보면 대체로 주인공 남녀가 떠오르지만, 주의에 주의를 기울였다. 삼각관계에서 라이벌로 사용했을 가능성도 있기 때문이다.

자꾸 목이 말라서 페트병을 옆에 두고, 물을 마셔가며 체크했다. 프로 럭비 구단 캡틴과 광고부서 OL, 방탕한 음악 프로듀서와 조신한 스타일리스트, 정의감 넘치는 신문기자와 미모의 의원 비서……. 이번에는 메모를 했다. 아니나 다를까 엘리트 상사 직원은 세 번 정도 등장시켰다. 하지만 뉴욕에 부임 중인 설정은 처음이라 그대로 두기로 했다.

딱 한 권, 거무스름한 장정의 두꺼운 책이 있는데, 그것은 열어보지 않았다. 연애소설이 아니기 때문이다.

한 시간에 걸쳐 모든 작품을 조사했다. 큐레이터는 없었다. 가슴을 쓸어내렸다. 천만다행이다. 기분 탓이었나 보다. 하지만 리스트를 내려다보고 있자니 기분이 나빠졌다. 상한 음식이라도 먹은 것처럼 속이 메슥거렸다. 안 좋은 예감이 들었다.

물을 삼키며 배에 힘을 넣었다. 주말까지 반드시 50매를 써야 한다. 아직 시간 여유는 있지만, 그 후에도 스케줄이 잡혀 있으니 뒤로 미루고 싶지는 않다.

책상에 앉아 이어서 원고를 썼다. 아무래도 안정이 되질 않았다. 못 보고 지나친 건 없을까.

아이코는 일어섰다. 다시 책꽂이 앞으로 간다. 쫓기는 듯한 초조함에 휩싸여 맹 스피드로 저작 페이지들을 훑어보았다. 대체 이게 뭐 하는 짓인지. 이상하다는 건 스스로도 안다.

그 순간, 목구멍으로 뭔가 시큼한 게 올라와, 아이코는 황급히 화장실로 뛰어갔다.

가벼운 구토를 한다. 설마, 또 온 거야? 마음속으로 중얼거렸다. 2년 만에 찾아온 심인성 구토증이다.

계속해서 격렬한 구토 증세가 몰려와 아이코는 위 속에 든 걸

몽땅 토해내고 말았다.

머리로 피가 몰리고 눈물이 번졌다. 다시 되돌아가야 한단 말인가, 그 고통스러웠던 날들로.

거실로 가서 소파에 드러누웠다. 집은 다시금 적막에 휩싸였다. 도움을 청하고 싶어도 이곳엔 자기 혼자뿐이다. 아이코는 현기증을 참으며 고독을 되씹었다.

하는 수 없이 신경과에 가보기로 했다. 전에도 그렇게 해서 마음을 느긋하게 가질 수 있었다. 신경안정제를 복용하면 그럭저럭 버틸 수는 있다.

최근 2년 사이에 이사를 해서 새로운 병원을 찾아야만 했다. '타운페이지'를 들춰보니, 역 부근에 '이라부 종합병원'이라는 데가 있었다. 그러고 보니 전차를 탈 때 간판을 본 기억이 난다. 신경과도 있는 것 같다.

접수처에서 간단한 예비 질문에 대답을 해주고 지하로 내려가자, 시큼한 쉰내가 나는 복도 끝으로 신경과 진찰실이 보였다. 노크를 한다. "들어오세~요!" 안에서 괴상한 목소리가 대답한다. 문을 열고 들어가자 살이 뒤룩뒤룩 찐 중년 의사가 만면에 미소를 띠며 손짓한다.

으~, 가뜩이나 작가는 이성을 만날 기회가 없는데. 아이코는 마음속으로 불만을 터뜨렸다. 잘생긴 독신 의사와의 로맨스를 꿈꾸던 기대감은 맥없이 허물어졌다.

흰 가운 가슴에는 '의학박사·이라부 이치로'라는 이름표가 새겨져 있었다. 이 병원을 상속받을 아들이라도 되는 걸까. 그렇다 하더라도 흥미 없다. 지위로 보나 명예로 보나 이쪽이 더 낫다.

"우시야마(牛山) 씨, 여기 괄호 안에 호시야마(星山)는 뭐야?" 이라부가 진료카드를 손가락으로 짚으며 어린애 같은 목소리로 물었다.

"필명입니다. 호시야마 아이코. 소설은 별로 안 읽으시나 봐요?"

아이코는 차가운 시선으로 말하며 미소 지었다. 어차피 중년 남자는 독자대상에서 제외된다.

"만화는 아직 보는데." 이라부가 부수수한 머리를 긁적이며 입을 내밀었다. "어~이, 마유미짱. 호시야마 아이코라고 들어봤어?" 존칭어도 생략하고 멋대로 이름을 불러댄다.

커튼 안쪽에서 젊은 간호사가 나타났다. 가운이 미니스커트라 깜짝 놀랐다. 거기다 담배까지 물고 있다.

"글쎄, 모르겠는데요." 간호사가 귀찮다는 듯 입을 열었다. 아이코는 도저히 믿어지질 않았다. '연애 카리스마'라 불리는 나를, 젊은 여자가 모른단 말야?

"소설은 안 읽더라도 여성지 에세이 같은 데서는 이름이나 사진을 보지 않았을까?" 말을 하면서도 얼굴이 살짝 굳어졌다.

"《록킹온(ROCKIN' ON)》 같은 건 읽어요."

간호사가 주사대를 들고 와서 코앞에다 세팅하더니 아이코의 팔을 주사대에 묶었다. 이어 주사기에 앰풀을 넣었다. 아이코는 어안이 벙벙하여 그저 바라보고만 있었다. "이거…… 나한테 놓을 주사예요?"

"괜찮아, 괜찮아. 심인성 구토증이라면서. 특효약이 있어요, 바로 이거야. 쿠후후."

이라부가 기분 나쁜 소리로 웃으며 몸을 앞으로 내밀었다. 이렇다 저렇다 말도 없이 간호사가 덜컥 주사를 찌른다. 그것도 담배를 입에 문 채.

"아야야야." 엉겁결에 소리를 질렀다. 이라부가 흥분한 표정으로 바늘이 피부를 찌르는 순간을 뚫어져라 쳐다보고 있었다.

이놈, 의사 맞아? 아이코는 말이 나오질 않았다.

"우시야마 씨, 작가라는 거 어떻게 하면 될 수 있어?" 이라부가 무례하게 물었다.

"호시야마라고 불러주시겠어요. 그쪽이 익숙해서요." 발끈 화가 난 아이코가 대답했다. 작가가 되고 싶었던 이유의 절반은 필명을 갖고 싶었기 때문이다. 어릴 때 살이 많이 쩐데다 성에 '소[牛]'가 들어가 있어서 남자아이들이 '황소야, 황소야!'라며 꽤나 놀려댔다.

"정신과 의사를 하다 보면 소재는 얼마든지 있거든. 그래서 나도 한번 써보고 싶은데. 맛 간 환자 이야기 같은 거."

맛이 간 건 당신 같은데. 금방이라도 터져 나올 듯한 소리를 겨우겨우 참아냈다.

"신인상에 응모하시면 어때요?" 턱을 살짝 치켜들며 말하자, 이라부는 "그것보단 출판사를 좀 소개해줘요. 그게 간단하잖아"라고 뻔뻔스러운 말을 해댄다.

아이코는 넌더리가 났다. 소설은 읽지도 않으면서 쓰고 싶어 하는 인간은 넘쳐난다. 이라부가 그런 전형적인 인물이다.

"그보다는 진찰을 먼저 받고 싶은데요."

"아아, 구토증 말이지. 간단히 말하자면, 울컥하는 일이 생기면 실제로 토하는 거니까, 화가 나는 원인을 확실히 밝혀내면 되는 거지."

"화가 나는 원인을 밝힌다구요?"

"그렇지. 원인 규명과 제거. 신경의학의 기본이지."

오호, 제법 그럴 듯한 소리를 하네. 아이코는 마음을 고쳐먹었다.

"그게 일이면 일을 그만둔다. 근처에 사는 사람과의 문제라면 이사를 간다. 대인관계라면 상대를 눈앞에서 사라지게 만든다." 이라부가 별로 대수로울 것 없다는 투로 말했다. "독약을 먹이고 싶으면 약 이름 정도는 가르쳐줄 수 있지. 에헤헤." 잇몸을 드러내며 빙긋이 미소 지었다.

이봐요. 아이코는 힘이 쭉 빠졌다. 그럴 수 없으니까 인생이 괴로운 거 아냐.

"아마 창작 스트레스인 것 같아요."

"아, 그렇군. 힘들 거야. 매번 스토리를 짜내야겠지. 마감도 있을 테고. 가끔은 그림이라도 그려서 '이번 달은 이거야' 하고 끝내버리면 안 되나?"

"어머, 그러면 수월하고 좋겠네요. 애들처럼 크레용으로 아무렇게나 쓱쓱 그려서." 아이코가 무릎을 찰싹 내리쳤다.

"그럼, 그럼." 이라부가 잇몸을 드러내며 고개를 끄덕였다.

"이만 가보겠습니다." 아이코는 정색하며 자리에서 벌떡 일어섰다. 이런 멍청이를 상대하고 있을 만큼 한가한 사람이 아니다.

"아니 벌써, 조금 더 있어줘. 3일 만에 온 환잔데." 이라부가 어리광 섞인 목소리를 내며 아이코의 팔을 붙잡고 늘어졌다.

"만지지 말아욧." 홱 하고 뿌리치며 아이를 야단치는 듯한 시선으로 내려다봤다. 대체 어떻게 생겨먹은 거야, 이 남자. 오히려 자기가 소아과 의사가 된 듯한 기분이다.

"소설, 그거 어떻게 쓰면 돼?"라고 묻는 이라부.

"생각한 걸 솔직하게. 단 객관적으로." 엉겁결에 대답하고 말았다.

"줄거리는 어떤 식으로 구상하고?"

"그보다는 묘사. 중요한 건 인간을 어떻게 묘사하느냐에 달렸어요."

"홈. 그럼 나도 쓸 수 있을까." 1인용 소파에 파묻혀 앉아 코를 후빈다. 왜 그런지 저항할 기력마저 사라져버린다. 눈앞에 보이는 넙데데한 저 남자는 영락없는 다섯 살짜리 아이다.

"호시야마 씨, 한동안 통원치료를 받아요. 이것저것 물어볼 말도 있으니."

"저, 바쁘거든요. 내일은 에세이 마감이고."

"그럼, 모레."

아이코는 코로 숨을 내쉬었다. 뭐 아무렴 어때. 희한한 사람은 좋은 소설 소재가 된다. 이런 바보 같은 의사도 언젠가 등장시키면 좋을 거다.

"아, 참……." 아이코에게 문득 중요한 생각이 떠올랐다. 구토증뿐만이 아니다. 소설을 쓰다 보면, 전에 쓴 소재가 아닌가 불안해져서 견딜 수가 없었다. 그것도 상담하려고 했었다.

"응, 뭐?"

"저어……. 아니, 아무것도 아니에요."

하지만 그만두었다. 설명하기도 번거롭고 처음 만난 상대에게 그런 것까지 속속들이 드러내고 싶지 않았다. 게다가 해결책이 나올 것 같지도 않았다.

신경안정제 처방을 받아서 병원을 나왔다.

이라부가 "또 봐요~"라며 손을 흔들어서 자기도 엉겁결에 손을 흔들고 말았다.

완전 맛이 갔다. 저런 인간은 처음이다.

집에 돌아와 커피를 새로 내리고 서재에서 느긋하게 휴식 자세를 취했다. 의자 깊숙이 파묻혀 의자를 좌우로 흔들었다. 문득 책꽂이에 시선이 멈췄다. 한가운데 자기가 쓴 저서가 나란히 꽂혀 있는데, 그중 단 한 권만 두툼하다. 저거로구나, 내 우울함의 근원. 아이코가 혼잣말을 중얼거린다. 2천 매가 넘는 대작으로 제목은 '내일'. 아이코의 역작이다. 구토중의 원인은 알고 있다. 그 책이 팔리지 않은 게 여태껏 마음에 걸리기 때문이다.

작가 생활 5년째에 그 책을 썼다. 가족의 붕괴와 재생을 그린 휴먼드라마다. 다리품을 팔아 자료를 구해 읽고, 공들여 취재를 하며 온힘을 다해 쓴 작품이다. 가벼운 연애소설에서 탈피하고 싶었다. 영혼을 흔들 만한 이야기를 써보고 싶었다. 보람은 있었다. 출간하자마자 여러 지면에서 소개했고, 대부분 절찬이었다고 할 수 있다. 말을 안 가리는 사쿠라까지 흥분한 목소리로 "이거 걸작인데!"라며 전화를 걸어 왔다. 아이코는 충만한 성취감을 맛보았다. 그걸로 자신도 변신할 수 있다고 믿었다.

그러나 팔리지 않았다. 기존 독자들에게는 완전히 외면당해 재판을 찍지도 못했다. 그래서 오자가 두 군데 있었는데 고치지도 못했다. 전문가들에게 호평을 받아도 장사로 연결되지 않는 냉혹한 현실을 통감했다.

아이코는 의욕이 꺾였다. 쇼크가 너무 큰 나머지, 반년 동안 아무것도 손에 잡히지 않았다.

지금도 일을 하는 게 괴롭다. 아이코의 마음속에 깊이 박힌 가시다.

또다시 속이 울렁거렸다. 위액이 목구멍까지 치밀어 올랐다.

제기랄. 화장실로 뛰어 들어갔다. 방금 마신 커피를 토해냈다.

2

마감 직전이었지만 여성지 인터뷰를 수락했다. 외부에 드러나는 걸 꺼리는 작가도 있다지만, 아이코는 흔쾌히 받아들인다. 솔직히 말하면 외부에 많이 알려지고 싶다.

하라주쿠 단골 헤어살롱으로 가서 머리단장을 했다. 언젠가 편집부에 헤어디자인을 요청한 적이 있는데, '있는 그대로 괜찮아요' 라고 단박에 말을 잘랐다. 대충 나갈 수는 없다. 미스터리 작가도 아닌데. 인터뷰 날을 위해 정장도 새로 샀다. 쇼핑은 몇 안 되는 즐거움 중 하나다.

인터뷰에는 문학 파트 편집자도 함께 나왔다.

"호시야마 씨. 다음 달 호에 단편 하나 부탁드립니다."

다나카라는 젊은 남자 편집자가 고개를 꾸벅 숙인다. 아이코를 담당하는 직원은 어느 출판사나 젊은 남자다. 그러는 편이 비위를 맞추기 쉽다고 판단한 모양이다. 데뷔한 지 8년째가 되다 보니 담당자들은 모두 세대교체를 했다. 어려워서 그런지 새 담당자들은 작품 내용에 관한 이야기를 꺼내는 일이 거의 없다. 의견을 주고받던 시절이 그리웠다. 모두들 하라는 대로만 한다.

인터뷰는 연애 기술에 관한 것이었다. 여러 번 취재를 받는 사이에 그쪽 방면의 권위자 같은 대우를 받게 되었다. 미디어는 많이 나가본 사람이 이기는 법이다.

"마음에 없는 행동을 하는 건 좋지 않아요. 이 글을 읽고 있는 당신에게 그만한 매력이 있어요? 그런 자신감 있나요? 그러다가 다른 사람에게 뺏기기 십상이죠."

아이코는 열변을 토했다. 수줍어하는 태도는 이젠 전혀 없다. 연기에 익숙해질 뿐이다. 한 시간 정도 이런 대화를 주고받다가 5만 엔이나 송금 받는다는 걸 직장여성들이 알면 배 아파할 게 틀림없다.

사진촬영은 우측 45도로 지정했다. 자신이 가장 선호하는 각도다. 그런데 카메라 기자재가 허술했다. 얼굴 클로즈업 사진을 찍는데 조명판도 준비하지 않았다. 다나카에게 불평했다.

"죄송합니다. 흰 도화지 같은 거라도 있으면 제가 들고 있으면 되는데."

"있을 턱이 없지. 우리 집이 화방인가?"

다나카는 이상야릇한 표정으로 와이셔츠를 벗더니 조명판 대용으로 높이 쳐들었다. 순진한 그 태도를 봐서 관대하게 용서하기로 했다.

"그건 그렇고, 다음 회는 이야기가 어떻게 진행됩니까? 예고를 좀 해야 할 것 같아서"라는 다나카.

"아내가 있는 상사 직원에게 점점 끌리는 스튜어디스 준코

(純子). '준'은 순수(純粹)의 純."

입에서 나오는 대로 아무렇게나 지껄였다. 하지만 그대로 이
야기를 써낼 자신이 있었다.

"그렇군요." 다나카가 메모장을 꺼내 들었다.

"잠깐……." 아이코가 느닷없이 목소리를 높였다. "이거, 작
년에 썼던 거 아닌가?"

"아니요, 쓰신 적 없는데요……."

"아냐, 썼던 것 같애." 마음이 또다시 혼란스러워졌다. "다나
카 씨, 나 담당한 지 몇 년째지?"

"2년 됐습니다."

"그럼, 그 전인지도 몰라."

"우리 회사에서 낸 작품은 전부 읽어봤는데요."

"그럼 다른 데. 다나카 씨, 다른 것들도 읽어봤어?"

"아, 아니, 전부 다는……." 다나카의 표정이 굳어졌다.

아이코는 차가운 시선으로 편집자를 노려봤다. 나중에 바뀐
담당자들이란 다들 이 모양이다.

"이제 가도 돼요. 이쪽도 일해야 하니까."

퉁명스럽게 말하며 서재로 들어갔다. 그저께 만들어놓은 리
스트를 꺼내 훑어봤다. 이것만으로는 부족하다. 직업만 메모했
기 때문이다. 불륜 이야기는 여러 편을 썼다. 똑같은 설정이 있
었는지도 모른다.

그런 생각이 들자, 가만있을 수가 없었다. 다음 달 일이지만,

이 문제를 말끔하게 매듭짓지 않으면 다른 일을 할 수 없을 것 같았다.

책꽂이 앞에 앉아 저작을 점검했다. 또다시 속이 메슥거렸다.

왜 이러지? 아이코는 스스로에게 물었다. 자기가 쓴 작품을 잊어버릴 수도 있나. 그것도 고작 8년 커리어로. 아니면 기억회로 어딘가에 문제가 생긴 건가.

아이코는 활자를 눈으로 좇으며 솟구치는 초조감과 싸웠다.

"좋았어~. 다시 왔네~."

이라부가 두 팔을 벌리고 금방이라도 껴안을 태세라, 아이코는 엉겁결에 뒷걸음질 쳤다. 향수 냄새가 코를 찔렀다. 꼴에, 하마 주제에.

절대 안 올 거라 생각했는데 자기도 모르게 발길이 향하고 말았다. 혼자서 문제를 끌어안아야 하는 게 불안해서였다.

"그때부터 나도 소설을 쓰기 시작했지. 출판사를 좀 소개해 줬으면 하는데."

설마 농담이시겠지? 아이코가 이맛살을 찌푸렸다. 아직 이틀밖에 안 지났는데.

"몇 매나 쓰셨는데요?"

"60매 정도 되나. 후딱 써버렸어."

이라부가 만족스러운 표정으로 원고를 내밀었다. 엉겁결에 받고 말았다.

손으로 쓴 원고였다. 지렁이가 꿈틀대는 듯한 글씨체였다. 게다가 여기저기 기괴한 일러스트가 그려져 있었다.

"삽화 포함. 마유미짱이 그려줬거든."

"아, 네⋯⋯." 마유미를 쳐다보니 벤치에 벌렁 드러누워 잡지를 읽고 있다.

머리가 지끈거리기 시작했다. 에세이 소재로 삼는다 해도 아무도 믿어줄 것 같지 않다.

"그럼, 책은 언제 나올까." 이라부가 코를 후비며 묻는다.

"말 안 되는 거 뻔히 아시죠. 겨우 60매 가지고." 도저히 화를 참을 수 없었다.

"몇 매 더 쓰면 되는데?"

"그런 문제가 아니라, 이게 어디든 편집자한테 인정을 받아야 그걸 시작으로 다음 단계를 밟는 거잖아요." 가시 돋친 목소리가 튀어나왔다. 소설을 얕봐도 유분수지.

"그럼, 빨리 편집자에게 읽어보라고 하면 되지."

아이코는 마음을 진정시키기 위해 크게 심호흡했다. 얼토당토않은 바보에게 엮인 꼴이 되고 말았다.

"기대되는데." 상대방 낯빛 같은 건 아랑곳없이 이라부의 시선이 멀리 허공을 헤맨다.

화를 내봤자 소용없는 짓이겠지. 맞서기도 귀찮아서 맡아두기로 했다. 아라이나 다나카에게 떠맡겨버리자. 직접 답변을 하라고 하면 끝이다. 자기가 부탁하면 절대 거절하지 못할 것이다.

"그런데 선생님, 오늘은 다른 상담이 있어서 왔거든요."

"응, 뭐?"

아이코는 최근 들어 나타나는 기억 혼란에 대해 설명했다. 소설을 쓰려고 하면 혹시 과거에 썼던 소재가 아닌가 하는 불안감에 휩싸여 견딜 수가 없다고. 몇 번을 확인해도 그 불안감이 사라지지 않는다고.

"아아, 그건 기억 문제가 아니라 강박증이지." 이라부가 태평스럽게 말했다.

"강박증?"

"응, 문을 잠갔는데도 외출해서 잠그지 않은 것 같아 불안해한다거나. 흔히 있는 일이야. 특이한 경우는 자기가 누군가에게 돈을 빌리지 않았나 싶어서 매일 주위 사람들에게 묻고 돌아다니는 사람도 있고."

"그래요?"

아이코는 마음이 무거워졌다. 구토증에 강박증이라는 혹까지 덧붙이다니. 도대체 자기가 어쩌다 이 모양이 된 걸까.

"한동안 쉬는 게 어때? 겉보기엔 부자 같은데. 1, 2년 놀면서 생활하는 것도 좋지 않겠어."

"속 편한 소리 하지 마세요. 곧바로 잊히는 세계라구요."

입을 삐죽이며 항변했다. 사실이 그렇다. 전열(戰列)에서 벗어난 인간은 아무도 기다려주지 않는다. 이 업계는 의자 차지하기 게임이나 다를 바 없다.

"저어……." 아이코는 목소리 톤을 낮췄다. "미리 말씀드리는데요, 이 원고, 기대하시면 안 돼요. 신인상 응모라는 건 어디서 하든 할 때마다 천 통이 훌쩍 넘으니까."

"걱정 없어. 난, 자신 있다니까." 이라부가 힘주어 말한다.

이렇게 착각이 심한 인간이 또 있을까. 대체 생각은 하고 사는 걸까?

"작가는 좋겠다. 아~ 동경해 마지않는 인세 생활."

"그런 사람은 극소수에 불과해요. 대부분은 원고료 받아서 먹고살고, 평균 연소득은 큰 출판사 사원보다 훨씬 못하다구요."

"그래?" 이라부가 의외라는 듯 아이코를 쳐다봤다.

"그래요. 별 볼일 없어요."

"쳇 뭐야, 그럼 나 관둘래." 이라부가 짧은 다리를 앞으로 뻗댄다.

"뭐, 베스트셀러를 내면 억만장자가 되긴 하지만."

"역시, 하는 게 낫겠어." 다리를 다시 끌어당긴다.

상대하는 게 한심스러울 지경이다. 정말로 작가가 될 수 있다고 믿는 걸까.

"선생님, 자꾸 삼천포로 빠지지 말고 강박증 치료도 생각 좀 해보세요."

"맞다, 그렇지." 머리를 긁적거린다. "구토증하고 근본 원인은 같으니까, 다른 걸로 분출해버리면 좋을 거 같은데."

"다른 거요?"

"정작 토해내야 할 감정들을 쌓아두고 있으니까, 위 속에 든 음식이 대신 나와버리는 거잖아. 강박증도 그 연장선상이지. 한밤중에 베란다에 서서 허공에 대고 다른 사람 욕이라도 실컷 떠들어보면 어떨까?"

"그러면 경찰에게 체포될 게 뻔하잖아요. 난 이름도 알려진 사람인데."

하지만, 일리 있는 말이다. 요즘에는 푸념을 늘어놓을 상대도 없다. 옛날 담당자들은 인사이동으로 전부 다른 부서로 가버렸다. 같은 직업을 가진 사람들과 만나긴 하지만, 약한 모습을 보이고 싶진 않다. 평범한 친구들이 없어진 것이다.

그날도 주사를 맞았다. 마유미라는 간호사가 무뚝뚝한 얼굴로 바늘을 찔렀다.

"마유미 씨, 나에 대해서 다른 간호사들한테 물어봤어요? 알고 있죠?"

아이코가 말했다. 인기 작가를 어려워하지 않는 태도가 마음에 들지 않았기 때문이다.

"안 물어봤는데에~." 마유미가 대체 뭔 말이 하고 싶은 거야 하는 표정으로 내려다봤다.

발끈 화가 치밀었다. 뭐 이딴 여자애가 있어. 몸매 좋은 여자는 소설 따윈 안 읽어도 된다는 거야!

"그럼, 다음에 사인해서 몇 권 가져올게. 다른 사람들과 나눠 가져요."

"아 네, 좋으실 대로 하세요."

이럴 땐 빈말이라도 '고맙습니다' 라고 해야 되는 거 아니니.

머리로 피가 솟구쳐 오르고, 불이 붙은 듯 속이 화끈거렸다. 여기 있는 두 사람은 사람을 존경하는 법을 아예 모르는 걸까. 아이코는 구역질을 애써 참으며 진찰실을 나왔다.

이라부의 원고는 아라이에게 떠맡기기로 했다. 귀찮아서 자기는 읽지 않았다.

"좋습니다. 호시야마 씨 추천이라면 한번 읽어보겠습니다."

아라이는 쾌히 승낙했다. 당연하다. 뜸을 들이면 생트집을 잡을 작정이었다.

"추천이 아니야. 뻔뻔한 의사가 맡긴 거지."

간단하게 사정을 설명하고 퀵서비스 착불로 원고를 보내버렸다. 나중에 직접 코멘트 하라고 하면 끝이다. 이젠 내 알 바 아니다.

저녁이 되어 사쿠라와 약속 장소에서 만나 함께 식사했다. 부아를 돋우는 여자이긴 하지만, 거리낌 없이 이야기를 나눌 수 있는 친구는 이제 사쿠라밖에 없다.

"대단한데, 이런 델 다 예약하고. 물론 그쪽에서 한턱 쏘는 거지?"

아자부에 있는 프렌치 레스토랑에서 실내를 둘러보며 사쿠라가 말했다. 사쿠라는 코듀로이 바지에 스웨터 차림으로 나왔는데 마치 학생 같은 모습이다. 화장기도 없다. 30대 중반인데도 그런 모습인 게 부아를 돋웠다.

"일은 어때, 잘돼?"라고 묻는 사쿠라.

"잘 안 돼. 신경과 다니고 있어." 심통이 나서 대답했다.

"어떻게 된 거야?" 놀라는 사쿠라에게 아이코는 최근의 안 좋은 상황을 하소연했다. 숨김없이 정직하게 얘기했다. 어차피 사는 세계가 다르니 소문날 일도 없다.

"거봐, 그러니까 우유 가게 아들하고 주유소 여자애로 하라니까."

"남의 일이라고 얼렁뚱땅 농담으로 돌리지 마."

"그럼, 분석을 해주지. 우시야마 씨, 뻔한 짜맞추기 연애소설 쓰는 데 질린 거야."

"무슨 소리야. 짜맞추기라니." 아이코가 낯빛을 바꿨다. 남의 일에 그런 실례되는 말을.

"내 말이 맞잖아. 미토코몬(水戸黄門, 일본판 암행어사 시리즈 시대극)처럼 결과가 뻔하잖아."

"너무하네, 정말. 이별이 있어야 만남도 생기는 거지."

"그건 그저 다양한 역할 취향 같아. 현실감이 없는 것도 늘 똑같고."

"나카지마 씨, 사람을 앞에다 놓고 어떻게 그런 소릴 해."

"화낼 거 없어. 정직한 의견이 좋잖아. 어차피 당신 주위엔 이제 아첨꾼만 득실댈 텐데." 사쿠라가 와인 잔을 입에 대더니 '괜찮은데'라며 익살을 떤다. "우시야마 씨, 다시 《내일》 같은 장편, 써봐. 그건 걸작이었잖아, 빈말 아니야."

"하지만 안 팔렸잖아." 아이코는 고개를 떨어뜨리며 낮은 목소리로 말했다.

"안 팔렸다니, 그건 당신 기준이야. 초판을 3만 부나 찍어놓고 배부른 소리 그만해."

"난 베스트셀러가 될지 알았어. 인생이 바뀔 거라 믿었는데."

아이코는 믿어 의심치 않았다. 맨션을 살 계획까지 세웠었다.

"하기야 억울했을 거라는 건 나도 다 알아. 20만 부가 나가도 이상할 게 없는 작품이었으니까."

"그치? 피를 토하는 각오로 썼던 거라구."

"알아, 알아. 읽어봐도 느껴져. 작가의 기백 같은 게."

"근데 아무 보답도 없이 끝나버렸어. '자, 다음 거 부탁드립니다'라고 한대서 금방 써질 거 같아?"

"그렇긴 하지만, 그래도 당신은 혜택 받은 거야." 사쿠라가 한숨을 쉬었다. "내가 만드는 영화 책 같은 건, 아무리 좋은 책이라고 해도 5천 부에서 끝나. 품절이래도 재판도 안 찍어주고 광고 같은 건 상상도 못 하고."

"정말? 왜 그런대?"

"출판이 불황이라서 그렇겠지. 재고를 끌어안지 않는 게 판

매의 기본이지. 확실히 팔릴 게 아니면 다음 수를 두지 않는 거야."

"열 받는 일이네."

"다 그런 거지 뭐. 걸작이든 범작이든, 팔리는 물건만 파는 게 기업이니까. 그건 출판사든 메이커든 똑같은 거지."

"그대로 받아들이는 거야?"

"방법이 없잖아. 프리랜서 편집자가 힘이 어딨어." 명랑한 사쿠라의 얼굴에 그늘이 드리워졌다. "저자들 볼 낯이 없어서 나도 늘 착잡해."

"그렇구나……."

두 사람 다 침울해졌다. 실컷 푸념을 늘어놓고 모두 발산해버리고 싶었는데.

"좋은 물건을 만들면 팔린다는 말, 거짓말이란 거 진작부터 알고 있는데도 현실에서 맞닥뜨리면 괴롭지."

"응, 맞아."

"대신 작품은 남는다고 말하는 사람들도 있긴 한데, 그것도 틀린 말이야. 팔린 물건이 아니면 남지도 않아."

그럴까, 내가 쓴 《내일》도 사라져버릴까. 뼈를 깎는 고통으로 쓴 내 자식 같은 작품이.

점점 더 기분이 가라앉았다. 모처럼 먹는 요리도 아무 맛이 느껴지지 않았다.

집에 돌아와 모두 토했다. 성찬을 쏟아내고 나니 허무함이 한층 더했다.

3

다나카가 인화된 사진을 들고 찾아왔다. 지난번 인터뷰 때 찍은 것이다. 아이코는 매번 사진 체크를 한다. 내버려두면 마음에 들지 않는 컷을 쓰는 일이 있기 때문이다.

"어, 이 카메라맨 초보자 아냐. 이건 완전히 보도사진이네."

아이코가 불만을 표시했다. 모두 다 마음에 안 들었다.

"그러세요? 이런 건 괜찮은 거 같은데." 다나카가 표시해둔 컷을 가리킨다.

"안 돼. 이마 쪽에 주름이 잡혔잖아. 전부 엑스. 전에 광고용으로 스튜디오에서 찍은 사진 있었지. 거기서 골라 쓰지."

"소프트포커스로 찍은 거 말씀하시는 건가요."

"뭐야, 그 눈빛은." 아이코가 노려본다. 다나카가 달갑지 않은 표정을 지었기 때문이다.

"아니, 알겠습니다. 편집부에 얘기해보겠습니다."

다나카가 부루퉁해졌다. 십중팔구 회사에서 옥신각신 소란이 생기겠지만, 상관할 바 아니다. "아 참, 호시야마 씨, 우리 잡지에 작가 분들 기행문을 격월로 실으려 하는데 2회 때 부탁드려도 될까요."

"기행문? 글쎄." 아이코는 생각에 잠긴다. "좋아. 파리로 가지." 그렇게 말을 받았다. 딱 좋다. 슬슬 해외나 나가볼까 하던 참이었다.

"브리스틀 호텔에서 묵고, 고급 레스토랑에서 식사하고……."

"저기, 국내여행인데요."

"어머머~, 쩨쩨하게 왜 이래. 파리를 무대로 해서 단편 하나 더 쓸 테니까. 편집장에게 그렇게 전해요."

"아 네, 일단 전달은 하겠습니다."

"1회는 누구?"

"오쿠야마 에이타로 씨입니다. 디지털 카메라 들고 도호쿠 어촌 마을로 혼자 떠나는 여행."

"그러면 두 번째는 좀 호화롭게 해야지." 억지로 구실을 갖다 붙였다. "오쿠야마 씨, 요즘 잘나가나?"

"별 볼일 없어요, 그 사람." 다나카가 손사래를 친다. "매번 작품 스타일을 바꾸고, 편협한데다 완고하기까지 해요."

듣기 좋은 말이다. 잘 안 팔리는 작가 이야기를 들으면 속이 다 시원해진다.

다나카가 돌아가고 나자, 이번에는 아라이한테서 전화가 걸려 왔다.

"며칠 전, 원고를 보내주신 신경과 의사선생님 일인데

요……." 아아, 그렇지. 떠넘겨버리고는 까맣게 잊고 있었다. "어때? 글씨나 제대로 알아볼 수 있어요?" 아이코가 묻자, "전 재미있는 거 같아서"라는 아라이의 밝은 목소리가 들려왔다.

"설마, 정말이야?" 귀를 의심했다. 이라부가?

"아니, 소설이 아니구요. 그게 아니라 일러스트 쪽이."

"아아, 아 그거." 아이코는 기억을 더듬었다. 원고에는 마유미가 그린 기묘한 삽화가 삽입되어 있었다.

"아주 독특하다고 할까, 한 방 후려갈기는 느낌이랄까……."

"난, 슬쩍 보기만 했는데 우주인 그림 아닌가."

"바로 그 점이 좋다는 거죠. '온리원'은 그런 거니까."

"흠." 어쩐지 기분이 좋질 않다. 그 건방진 간호사한테 그림 재능이 있다니. "미리 말해두는데, 일러스트는 의사가 아니라 마유미라는 간호사가 그린 거예요."

"그렇습니까. 그럼, 이쪽에서 직접 연락을 해도 괜찮겠습니까."

"얼마든지. 그건 그렇고 원고는 어떤가."

"호시야마 씨에게는 말씀드리기 좀 뭣합니다만……."

"괜찮아. 서로 체면 차릴 사이도 아니니까."

"지리멸렬이에요."

당연히 그렇겠지. 객관성이라고는 손톱만큼도 없는 남자가 제대로 된 문장을 쓸 리 만무하다는 생각이 들었다.

잡무를 정리하고 일을 시작했다. 상사 직원과 비행기 승무원이 만나는 장면이다. 런던발 도쿄행 직항기. 비즈니스 클래스. 준코의 시선이 한 남자에게 멈췄다. 큰 키에 날렵한 몸매, 윤곽이 또렷한 얼굴 생김새. 분명 런던에 올 때도 이 비행기편을 이용했던 비즈니스맨이다……

키보드 자판을 누르던 손이 멈췄다. 머릿속에서 뭔가가 배배 꼬이는 감각이 느껴졌다.

이건, 분명히 썼던 거다. 이번에야말로 틀림없다. 그런데 왜 구상하는 단계에서는 알아차리지 못했을까. 아이코는 황급히 리스트를 펼쳐 들고, 제목과 등장인물을 눈으로 좇았다.

없었다. 아냐, 그럴 리가 없어. 못 보고 지나쳤겠지. 또 처음부터 다시 읽어야 하는 건가. 갑자기 맥박이 빨라졌다. 동시에 구역질이 맹렬하게 솟구쳐 올라 의자에서 일어서자마자 위 속에 든 것들을 키보드 위에 토해냈다.

아이코의 얼굴이 일그러졌다. 또 하나의 자신이 속삭였다. 너, 아무래도 이상해. 알고 있다. 강박증과 구토증이다. 다시 한 번 리스트를 확인해보니 쓰지 않은 게 분명했다. 그런데도 다시 쓰기 시작하자 또다시 불안감이 엄습해 왔다. 쉬는 게 좋을까. 아이코는 키보드 코드를 잡아 뽑아 부엌 쓰레기통에 처박아버렸다. 의욕이 사라졌다. 하긴 최근 2년 동안 단 한 번도 의욕을 느낀 적이 없긴 하지만.

"해냈어. 나도 작가라구. 이제부터 인세 생활이야."

이라부가 코앞에 앉아 헤죽거린다. 아이코는 이맛살을 찌푸리고 '하마가 웃으면 꼭 저런 모습일 거야' 하는 뜬금없는 생각을 떠올리며 그저 멍하니 바라보기만 했다.

"호시야마 씨, 아라이 씨한테 들었어? 어제 병원으로 전화가 왔는데 재미있다면서 꼭 한 번 만나보고 싶다는 거라."

이봐요, 그건 마유미 일러스트 얘기야. 김칫국을 마셔도 유분수지.

"정말 독특하고 멋지다, 혹시 다른 작품이 있으면 보고 싶다고 하더라니까."

그러게 그건 일러스트라니까.

"전화로 '재미있어요' 라는 말을 들은 순간, 팔짝 뛰어올랐지. 역시 다른 사람한테 칭찬을 듣는 건 기분 좋은 일이야."

이보슈, 사람 말은 끝까지 들어봐야 할 거 아냐.

"60매 정도는 하룻밤이면 끝낼 수 있으니까. 또 읽어보라고 해야지. 그런데 몇 매나 더 써야 책이 되는 거지?"

"으음, 최소한 400매는 되야겠죠."

"헉~, 그렇게나 많이. 마유미짱 일러스트로 채우면 안 될까?"

아이코는 말없이 고개를 흔들었다. 뭐, 될 대로 되라지. 곤란한 건 아라이뿐이다. 자기는 모른 척하면 그만이다.

정작 당사자인 마유미는 벤치에 엎드려 과자를 오물거리며 잡지를 읽고 있었다.

"아 참. 간호사님, 내 책 가져왔는데. 원하는 사람 있으면 나눠서 읽고."

아이코는 자기가 쓴 책이 담긴 봉투를 건넸다. 연애소설 서너 권과 《내일》이 들어 있었다.

"그쪽에 두세요." 마유미가 성가시다는 듯 말했다.

뺨에 바르르 경련이 일었다. 사인회를 열면 젊은 여자들이 기다랗게 줄을 늘어서는데.

"그런데 증상은 어떤가? 좀 좋아졌나?" 이라부가 물었다.

"좋지 않으니까 온 거죠." 자기도 모르게 말투가 거칠어졌다. "소설을 쓰려고 하면 강박관념에 사로잡혀서 다 토해요. 점점 더 심해진다니까요."

"쉬는 게 가장 좋긴 한데."

"그런 한가한 소리 하지 마세요. 매달 단편 두 개는 마감을 해줘야 하고 장편 연재도 있단 말이에요."

"시간을 못 지키면 어떻게 되는데?"

"못 지키면⋯⋯." 아이코는 말끝을 흐렸다. "신인들 예비 원고를 싣는 경우가 많겠죠."

"참 나, 그럼 백지로 나가는 것도 아니네. 그러면 된 거지."

"되긴 뭐가 돼요⋯⋯. 신용 문제잖아요. 이쪽은 프로란 말이에요."

실은 원고를 거를 만큼 대담하게 굴어보고 싶긴 한데, 그럴 용기가 없다. 쉴 용기는 더더욱 없다.

"그렇다면 평소랑 다른 걸 써보는 것도 한 방법이지."

"평소랑 다른 거?"

"그렇지. 호시야마 씨 이야기를 들어보면 틀에 박힌 빤한 일이 강박관념을 야기하는 거 같거든. 차라리 연인끼리 서로 죽이거나 정사 중에 유령이 나타나서 침대를 흔들어댄다거나……. 야, 너 오늘 꽤 거친데, 아이~ 이거 내가 그러는 거 아니야…… 같은, 하하하."

이라부가 입을 쩍 벌리고 웃는다. 이런 또라이, 대체 뭔 생각을 하는 거야.

"저기요, 호시야마 브랜드라는 게 있는 거거든요. 간판에 흠집을 내서야 되겠냐구요."

"그러니까 일단, 간판을 내리는 거야. 그럼 홀가분해질 텐데."

"간판을, 내린다……."

아이코는 말문이 막혔다. 뜨끔하게 만드는 구석이 있다. 《내일》이 팔리지 않은 탓에, 점점 더 간판에 얽매이게 되었다. 모험을 하지 않는 것이다.

"애인이 에일리언인데 인간의 가래를 좋아한다, 밤마다 가래를 찾아 스르르르."

우웩, 어이 아저씨! 얼굴이 일그러졌다.

"어쨌거나 인간에겐 변화가 필요해."

"휴~." 아이코가 고개를 끄덕였다. 부아가 나지만, 납득할 만한 부분도 있다. 지금 자신은 지나치게 방어 자세다.

집으로 돌아와 이라부의 권유대로 써보기로 했다. 어차피 늘 쓰던 연애소설을 쓰려고 들면 상태가 나빠지기 때문이다. 마감 기한은 아직 남아 있으니 시도해볼 만한 가치는 있다. 호러나 SF는 좀 그렇다 치더라도, 외설적인 관능소설이면 쓸 수 있을지도 모른다. 아이코는 새로 산 키보드에 손가락을 올렸다.

여동생 남편의 시선을 느낀 것은 의붓아버지 장례식을 치르던 밤이었다. 상복을 입은 기요미의 하얀 목덜미를 몰래 훔쳐보고 있었다. 눈이 마주치자 황급히 시선을 피했다. 술도 안 마신 제부의 뺨이 벌겋게 달아올라 있었다…….

또다시 속이 울렁거렸다. 안 돼, 이보다 훨씬 더 허세를 부려야 돼. 이건 같은 데로 평행 이동하는 것뿐이다. 한번은 완전히 무너뜨려야 한다.

내 보지는 거무칙칙하다. 너무 많이 써먹은 탓이다. 그렇긴 하지만, 넘치는 정력을 주체 못하는 여동생 남편의 잘못이 더 크다. 일은 나 몰라라 내팽개치고 날마다 아파트로 찾아와 내 몸을 더듬는다. 게다가 이것저것 집어넣고 싶어 한다. 어제는 무였다. 죽는 줄 알았다…….

아무리 그래도 설마 이런 일은 없겠지. 아이코는 머리를 쥐어 뜯었다. 이걸 메일로 보내면 편집부에 난리법석이 날 게 불을 보듯 뻔하다.

전화가 울렸다. 받으니 아라이였다.

"호시야마 씨, 난처하게 됐습니다. 이라부라는 선생님이 뭔가 단단히 착각을 했는지 회사까지 찾아왔습니다." 목소리를 죽이며 말했다. "전 일러스트를 그린 마유미 씨를 부르려고 했는데."

"어머, 그래요. 그 의사, 남의 말은 절대 안 듣거든." 아이코는 일이 재미있게 되었다고 생각하며 회심의 미소를 지었다.

"글쎄 그렇다니까요. 돌려 말해도 도통 통하질 않아요. '책은 언제쯤 나올까' 라며 어린애처럼 신이 나 있어요."

"책 내주면 어때? 혹시 잘 팔릴지 누가 알아."

"그럴 수는……." 괴롭다는 듯 말했다. "일단 원고는 받아두겠지만, 뒷일은 호시야마 씨 쪽에서 설명 좀 잘해주셨으면 하구요."

"이것 보세요, 내 일을 더 늘리겠다는 거야, 지금?"

난폭하게 내뱉고 전화를 끊어버렸다. 곤혹스러워할 아라이의 얼굴을 떠올리며 흥 하고 코웃음을 쳤다.

창밖을 내다보며 까닭 모를 한숨을 내쉬었다.

자기도 심통 사나운 여자가 되어버린 것이다. 편집자를 곤혹스럽게 만들어놓고 즐거워하다니.

예전에는 이렇지 않았다. 조금은 상냥했다.

이것도 《내일》 탓이다. 결국 팔리지 않고 끝나버려 아이코가 미처 재기를 못 하고 괴로워하는 사이, 담당 편집자가 다른 작품으로 베스트셀러를 만들어 서슬이 퍼렇다는 이야기를 전해 들었다. 그 후로 편집자들을 모두 싸잡아 냉소적인 시선으로 보게 된 것이다. 이는 분명 불행한 일이다.

컴퓨터 화면으로 시선을 돌렸다. 어처구니없는 원고를 지워 버렸다. 이런 걸 발표할 수는 없다.

자기는 도대체 무엇이 되고 싶어 하는 걸까. '연애 카리스마'로서 군림하고 싶은 것인가. 부자가 되어 편안한 삶을 살고 싶은 것인가.

분명 그런 건 아니다. 《내일》같은 소설을 다시 쓰고 싶다. 탈고했을 때는 몹시 흥분했다. 고통스러웠던 만큼 성취감은 더할 수 없이 컸다. 스스로를 대견하다고 생각했다.

후속작을 쓸 생각은 있다. 하지만 어떻게 하면 좋을지 모르겠다. 설사 다시 힘을 쏟아본다고 해도 결과가 두렵다.

만일 다음번에도 비참한 결과로 끝난다면 자신은 완전히 세상을 등지게 될지도 모른다. 남의 탓을 할 것이다. 나는 그런 인간이다. 마음이 넓지 않다.

아이코는 컴퓨터 전원을 껐다. 지금은 아무것도 쓰고 싶지 않았다.

이라부 말대로 소설은 당분간 쉬기로 하자. 반년 정도라면 자리는 남아 있다. 에세이나 기행문으로 적당히 얼버무려도 될 것 같다.

책상 위에 엎드렸다. 울고 싶었다. 난 왜 이렇게 고독한 거지?

갑작스럽게 대담에 나가게 되었다. 아이코가 '쓸 수 없다' 고

다나카에게 알리자, 전부터 말을 꺼냈던 대담 기획으로 페이지를 메우기로 한 것이다.

사진 페이지도 따로 준비한다고 하기에 그러라고 했다. 새 옷을 산 지 얼마 안 된 터라 자랑하고 싶은 마음도 있었다. 스킨케어 숍에 갔다. 헤어스타일도 결정했다. 잡지에 나가게 되면 여성 아들레날린이 온몸에 퍼진다.

상대는 근래 인기를 얻기 시작한 젊은 여류작가였다. 작품을 읽어보니 주니어 취향보다 조금 나은 정도의 연애소설이라 안심했다. 그런 게 팔린다는 사실이 화가 나긴 했지만.

"레이나(麗奈)입니다아." 호텔 객실에서 다나카가 소개를 하자 레이나가 깍듯이 고개를 숙였다. 어리광 섞인 혀 짧은 목소리였다.

"성은 어떻게 되지?" 없다는 걸 알면서 부러 물었다.

"이름뿐이에요. 그쪽이 기억하기 쉬울 것 같아서." 닭살 돋는 필명이다. 땅딸이에다 뚱보 주제에. 잽싸게 의상을 훑어보니 에르메스 신 모델 정장을 입고 있었다. 45만 엔이나 하는 옷이다. 전혀 어울리지 않는다.

"옷이 멋지시네요"라는 레이나. "아니 뭐, 그쪽이야말로"라고 아이코가 말을 받는다. 잠시 서로의 패션을 치켜세워 준다.

우선 호텔에서 룸까지 서비스해주는 도시락 세트를 먹으며 셋이 이런저런 이야기를 나누기 시작했다. "아이, 다나카 군은 정말 못 말려." 레이나가 다나카에게 끊임없이 교태를 떨어댔다.

"호시야마 씨, 제 얘기 좀 들어보세요. 요전에 시사회에 같이 갔는데 잠을 자는 거예요, 저 사람이."

헉, 난 초대도 못 받았는데. 다나카를 쳐다보니 어색하게 미소 짓는다. 다나카의 순위가 순식간에 아래로 곤두박질쳤다.

"레스토랑에서 와인도 안 골라줘요. 그런 남자, 문제 있는 거 아닌가요?"

다나카가 의뢰한 원고는 교정 스케줄 마지막 날에 넘겨주기로 결심했다.

데뷔한 지 얼마 안 되는 작가는 담당자를 개인 소유물로 착각한다. 이 여자가 전형적인 예다. 챙겨주는 게 좋아서 지금쯤 정신을 못 차릴 지경일 게다.

식사가 끝나고 대담이 시작되었다. 테마는 '연애소설의 행방'이다.

"호시야마 씨 소설을 읽고 느낀 건데요, 여성을 묘사하는 방식이 굉장히 탁월하다고 할까, 어쨌든 아주 가까이 보이는 느낌이라 '맞아, 맞아'라고 중얼거리게 돼요."

레이나가 아이코를 치켜세웠다. 기분이 나쁜 건 아니지만, 별반 기쁠 것도 없다.

"그렇긴 한데, 빈티 나는 건 없는 거 같아요. 모두 화려하고."

"그건 쓸데없는 생활 감각을 드러내고 싶지 않아서죠. 특히 단편은 매수까지 정해져 있잖아."

"그렇긴 하지만 모두 고층 맨션에 살잖아요."

"어머, 그랬던가." 급소를 찔려 은근히 화가 났다.

"그렇잖아요. 도심의 야경을 내려다보며 주인공이 마음속으로 중얼거리는 장면을 좋아하시는 거 같던데."

"레이나 씨는 벽이 하얀 호화주택을 좋아하지. 주인공은 대부분 사업가의 귀한 따님이던데."

일단, 말을 받아쳤다. 이 여자의 소설에는 부자만 나온다.

"전, 옛날부터 동경했어요. 그런 삶을."

"하지만 소설은 애들 동화가 아니지."

"그렇죠. 호시야마 씨를 보고 많이 배울게요." 레이나가 눈꼬리를 추켜올리며 말한다. "편집자, 광고회사 직원, 큐레이터…… 그럴싸한 커리어를 가진 여자 이야기도 써보겠습니다."

큐레이터? 가슴이 철렁 내려앉았다. 그 원고는 쓰다가 접은 채 그대로인데. 아이코는 등줄기가 서늘해졌다.

"내가 큐레이터를 등장시켰던가."

"안 나왔나요? 그렇담 착각인지도 모르죠. 호시야마 씨 패턴이라 그만."

패턴이라? 뺨이 실룩거리며 굳어졌다. 하지만 그것보다는 큐레이터 걱정이 앞선다. 역시 못 보고 지나쳤나.

"그리고 상사 직원이 자주 나오던데, 옛날 애인이었나요?"

"아니, 그런 건 아닌데."

"그럼 큰 키에 날렵한 몸매를 가진 윤곽이 또렷한 상사 직원을 좋아하시나 보죠?"

지금 싸우자는 거야, 이 쪼끄만 계집애가. 아이코는 얼굴이 뜨거워졌다.

"레이나 씨야말로 승마나 미식축구 캡틴을 좋아하는 모양이지. 그리고 미대생도."

"호시야마 씨 미대생은 모두 고학생이더군요. 그리고 유복한 집안의 여대생이 그에게 마음이 끌리는 패턴."

"이봐, 그 패턴이란 말투 좀 고쳐줬으면 하는데." 정색을 하고 말했다.

"저어, 이쯤에서 한번 이야기를 정리하자면……." 다나카가 끼어들었다. 비지땀을 흘리고 있었다. "연애소설의 등장인물을 설정하는 데는 작가의 개성이 나타난다는……."

"그런 소리 한 사람 아무도 없을 텐데." 아이코가 가시 돋친 목소리로 말했다.

"죄송합니다. 기분을 상하게 했다면 사과드리겠습니다"라고 말하는 레이나. 그러나 미안해하는 기색은 조금도 없다. "연애소설이란 건 인물 설정보다는 아포리즘이죠."

잘난 척하긴. 세련된 대사 하나도 못 쓰는 주제에.

"그렇지만 성인들이 고개를 끄덕일 만한 아포리즘을 쓰는 건 쉬운 일이 아니야. 레이나 씨 독자는 십대니까 개성 없고 흔해빠진 게 오히려 더 사랑받는 게 아닐까."

"호시야마 씨 아포리즘은 '여자는 자기만의 거울을 가지고 있다'라는 부류죠. 세 번 정도 읽었어요."

"레이나 씨가 항상 쓰는 '사랑은 풀 수 없는 방정식' 이란 표현은 어떨까. 그것을 풀어내는 게 소설일 텐데."

"나쁠 거 없죠. 인기투표에서도 1위인데. 안 그래요, 다나카 씨."

"아, 아니, 그게." 다나카가 말을 못 하고 끙끙거렸다.

뭐 이따위 대담이 있어. 아이코는 완전히 이성을 잃었다. 이런 걸 원고 대신 내보낼 수는 없다. 그럼, 끝장이다. 소설을 써서 넘기자. 휴필(休筆)은 철회한다. 저런 계집애는 도저히 흉내도 못 낼 어른스러운 연애소설을 써주마.

쓰다 만 원고도 나쁘진 않다. 손을 좀 보고, 좀 더 독특하게 고치는 거다……

참, 이제 큐레이터는 쓸 수 없게 된 건가. 그리고 상사직원도. 패턴. 그 말이 귓전에 소용돌이쳤다.

아이코는 정신이 오락가락했다. 피가 빠져나가는 느낌이 드는가 싶더니, 대신 뱃속에 든 것들이 솟구쳐 올라왔다. 어엇?

설마, 멈춰. 마음속으로 비명을 질러댔다.

자리에서 일어서는 동시에 테이블 위에다 쏟아내고 말았다. 레이나와 다나카와 카메라맨은 그 자리에 얼어붙었다. 소화 중인 새우와 연근 파편이 시선에 사로잡혔다.

아이코는 테이블보 자락을 그러쥐어 토한 음식을 덮었다. 그대로 방을 뛰쳐나와 뒤도 돌아다보지 않고 복도를 달렸다.

그곳에서 빠져나가는 것 말고는 아무 생각도 할 수 없었다.

4

사흘간, 침실에 틀어박혀 지냈다. 떠올릴 때마다 수치스러움에 가슴이 갈기갈기 찢기는 느낌이었고, 비명을 지르고 싶은 충동을 애써 참아야 했다.

그런데다 안부 전화를 건 다나카에게 히스테리까지 부리고 말았다. 홧김에, 그 여자 담당을 계속할 거면 자기 담당을 포기하라고 퍼부었다. 엉뚱한 사람에게 화풀이를 하고 말았다. 마음약한 다나카는 지금쯤 좌불안석일 텐데.

여러 번 자리에서 일어나 컴퓨터 앞에 앉아보았지만, 역시 쓸수 없었다. 스토리 구상만 하려 해도 구역질이 올라오고 실제로 토해버렸다. 이젠 심각한 사태에 이르고 말았다.

아이코는 작가생명에 위기의식을 느꼈다. 자기 가치는 비교적 냉정하게 파악하고 있다. 다작을 하기 때문에 인기 작가가될 수 있었다. 이대로 사라져버리는 걸까. 《내일》과 함께. 나오느니 한숨뿐이다.

전화가 울렸다. 마지못해 수화기를 드니 아라이였다.

"호시야마 씨, 도와주세요. 그 이라부 선생님 말입니다. '어떻게 하면 책을 낼 수 있냐'고 매일 들이닥쳐서 도무지 일을 할수가 없어요."

금방이라도 울 것 같은 목소리였다. 그놈의 하마 의사. 아직도 하고 있단 말이야.

"확실하게 말했어요? 당신은 재능이 없다고."

"그렇게까지는 말 못 했지만, 일단 지금 수준으로는 어렵다고 좋게 말했습니다."

"안 되지, 좋게 말하는 정도로는. 돌려서 표현하는 게 통하지 않는 인간이라니까."

"그렇더라구요. 문장이 안 좋다고 하면, 어디가 안 좋으냐고 끈질기게 물고 늘어져서, 정신을 차리고 보면 제가 교열을 보고 있는 겁니다. 어제도 세 시간 면담. 그런데 조금 아까 또 전화를 해서 다 고쳤으니 지금 오겠다고……. 야쿠자 협박보다 더 무섭다니까요."

"책을 내주지 그래? 편해질 거 아냐." 아이코가 아무렇지도 않게 툭 던지듯 말했다.

"왜 그러세요. 있을 수 있는 일인가요, 그게."

"내 알 바 아니지."

"어떻게 그런……." 아라이가 말을 채 잇지 못했다.

"좋은 생각이 있다. 그 의사를 매스컴에 내보내는 거야. 기인이니까 틀림없이 요상한 인기를 끌게 되겠지. 그렇게 되면 연예인 책이 되잖아. 그쪽 회사, 연예인 책 만드는 게 특기 아닌가."

"처음부터 연예인이면 또 몰라도……."

"하긴 이기는 말 위에만 올라타는 게 당신들 장사니까."

"너무 비꼬지 마세요. 평사원 따위가 무슨 권한이 있겠어요."

"나 담당하는 것도 위에서 내려온 명령 때문이란 말이군."

"아니, 그런 건……." 아라이가 대답하는 데 뜸을 들였다.

"아아 우울해." 아이코의 목소리가 난폭하게 변했다. "일생에 도움이 안 되는 무사안일주의자. 근성 없는 인간. 알랑쇠. 숏다리! 지금 내가 회사로 가지. 의사든 뭐든 가만 안 둘 테닷!"

"엇, 와주시는 겁니까."

아이코가 내던지듯 전화를 끊었다. 침대를 박차고 일어나 머리를 묶었다. 누군가에게 퍼부어대고 싶은 심정이었다. 모두 다 꼴도 보기 싫다. 편집자도 자신도 그쪽 언저리를 기웃거리는 사람들도 모두.

이게 다 이기주의라는 건 안다. 하지만 멈출 수가 없다. 모든 감정이 한꺼번에 터져버릴 것 같다.

출판사로 들어서자 로비 한쪽 구석의 둥근 테이블에 아라이와 이라부가 이미 마주앉아 있었다.

"앗, 호시야마 씨이~. 좀 도와줘. 이 사람, 영 말귀를 못 알아들어서 말이야." 이라부가 응석 부리는 목소리로 말했다.

"못 알아듣는 건 선생님이에요." 아이코가 느닷없이 야단을 쳤다. "그런 초등학생 같은 작문을 책으로 만들어서 서점에 내놓을 수 있을 거 같아요? 어른이면 좀 상식적으로 판단하라구욧."

이라부가 눈을 휘둥그레 떴다. "호시야마 씨, 왜 그래? 뺨이 꿈틀꿈틀 움직여." 주눅 든 기색이라곤 조금도 찾아볼 수 없다. 점점 머리로 피가 끓어올랐다.

"이것 보세요. 소설을 그렇게 우습게 보는 게 아니에요. 작가가 어떤 심정으로 글을 쓰는지 알기나 해요? 모두들 뼈를 깎는 고통으로, 바짝 말라붙은 걸레를 쥐어짜는 심정으로 단어 하나하나를 궁리해내는 거라구요. 그런데 생판 풋내기가……."

"호시야마 씨, 얼굴이 빨개. 열이라도 있는 거야?"

"있어요, 왜요. 이쪽은 당장 마그마가 터져버릴 것 같단 말이에요."

"맞다. 구토증이었지."

입술이 떨렸다. 이런 돌대가리. 얼굴에다 확 토해버릴까 부다.

"그래도 아라이 씨는 재미있다고 했는데." 이라부가 부루퉁하게 말한다. 의자에 몸을 기대더니 코를 한 번 훌쩍인다.

"헉?" 아이코는 말문이 막혔다. 아라이를 쳐다보자 "아, 아니, 그게" 하며 말이 꼬인다.

"재밌다기보다, 여러 번 고쳐 쓰는 사이에 묘한 맛이 우러나왔다고 하는 게……."

"거봐, 나도 재능이 있잖아." 이라부가 자신만만하게 가슴을 폈다.

"뭐야, 그런 거야?" 아이코가 물었다.

"재능이라기보다……. 그 뭐냐, 자연 그대로의 기괴함이랄까, 누구도 흉내 낼 수 없는 황당무계함이랄까……."

"이리 줘봐요." 아이코가 원고를 잡아채 대충 훑어보았다. 문장이 엉망진창이다. 그림으로 치면 추상화다. 피카소일 수도 있고 미치광이일 수도 있다.

"편집자 근성 때문일까요. 조금이라도 장점을 찾아내려는 마음으로 읽어보니까, 전혀 재미가 없다고 하기도 좀 그렇고……. 선생님에게 그렇게 말했더니 심각하게 받아들여서."

"그럼, 당신이 책임지고 책을 만들면 될 거 아냐. 왜 남까지 성가시게 해." 아라이를 째려보았다.

"와~하, 책이다, 책." 이라부가 만세를 불렀다.

"안 된다니까요. 이런 걸 책으로 만들 만큼 출판계가 한가하질 않아요. 호시야마 씨도 잘 아시잖아요. 될 만한 책도 안 나가는 세상에."

"그건 당신들 탓이지."

"맞아, 맞아. 니가 나빠"라고 끼어드는 이라부.

"너라니, 당신이야말로 그러고도 정신과 의사 맞아." 아라이가 정색하며 말했다.

그때 낯익은 여자가 스쳐 지나갔다. 나카지마 사쿠라였다. 프리랜서 편집자이니 출판사에서 마주친다고 놀랄 일도 아니지만.

"어머, 나카지마 씨, 여기 웬일이야? 일?"

아이코가 말을 건네자, 사쿠라는 누군지 언뜻 생각이 안 나는 듯한 표정을 지으며 다가왔다. 안면이 있는 사이인지 아라이와도 인사를 나눴다.

"아는 사람이 영화를 찍어서 홍보 일로 왔는데, 참 냉정하네, 큰 출판사는." 사쿠라가 언짢은 듯 말했다. "화제작 아니면 박스 기사도 내줄 수 없대."

담배에 불을 붙이더니 선 채로 입에 물었다. 조바심이 나는지 담배 연기와 한숨을 동시에 내뱉었다.

"아라이 군도 좋은 책 만들면 제대로 팔 수 있다고 말하나?"

"어머머. 나카지마 씨, 말 한번 잘했다." 아이코가 말을 거들었다.

"당신 얘기가 아냐. 그쪽은 잘나가는 인기작가 신분이잖아."

사쿠라의 말에 기분이 상했다. "잘나가는 신분이라니. 말이 좀 심한 거 아냐?"

"그럼, 내 책 얘기네"라는 이라부.

"누구? 이 사람."

"됐습니다. 그냥 무시하세요"라는 아라이.

"뭐얏~." 금방이라도 덮칠 기세다.

"잘나가는 신분이라니, 그 말부터 취소해." 아이코가 이라부를 손으로 밀쳐내며 사쿠라와 마주 섰다. "이쪽은 고민하고, 고통 받으면서……."

"어쨌거나 잘나가는 신분이지. 1억 2천만밖에 안 되는 일본어 사용권 안에 직업작가가 몇이나 될 거 같아. 수백 명은 녹을

먹고 있을 거 아냐? 편집자가 금이야 옥이야 대접해주고, 진행
회의 한답시고 맛있는 음식 사주고, 식비·교통비 대줘서 호화
여행 다니고. 그런 나라, 세계적으로 일본밖에 없어. 이 나라는
작가 천국이란 말이야."

사쿠라가 나지막한 목소리로 이야기를 늘어놓았다. 아라이
가 코를 실룩거렸다.

"이것 봐, 아라이 군. 지금 말 한번 속 시원하게 한다 생각하
겠지." 아이코가 팔을 찰싹 내리치자, 아라이는 군은 얼굴로 볼
을 붉히며 아무 대답도 하지 않았다.

"우시야마 씨도 그래, 한두 번 좌절한 정도로 그렇게 죽는시
늉하는 게 아니야. 난 훨씬 더한 현실에 수도 없이 깨진다구."

"왜 그래, 뭣 땜에 그렇게 화를 내는 거야."

"좋아, 말해주지." 사쿠라가 심호흡을 했다. 눈빛이 진지해졌
다. "내가 줄곧 응원해온 젊은 감독이 있는데 3년 만에 새 영화
를 찍었어. 근데 엄청나게 잘 만든 거야. 마니아 취향이 아냐.
독선적인 영화도 아니고. 멋지고 수준도 높은 양질의 오락 작품
이라구. 배우도 좋아. 촬영도 잘했고. 시사회에서 난 눈물을 흘
렸어. 그래서 엄청 기대를 했지. 이 감독도 이제 대박 나겠다.
드디어 쨍하고 해 뜰 날이 온 거구나……. 그랬는데 관객이 안
들어. 개봉 첫날 집에 가만있을 수가 없어서 극장으로 나가봤더
니 감독하고 프로듀서가 한산한 객석 구석에 앉아 있지 뭐야.
이 일을 어쩌나. 나를 보고도 시선을 못 마주치더라고. 무슨 말

을 건네야 할지도 모르겠고. 영화가 끝나고 나서, 나는 멀찍이 서서 고개만 꾸벅하고 돌아왔어. 감독, 기특하게도 미소를 짓더라구."

아이코는 아무 말도 할 수 없었다. 아라이도 이라부도 시선을 아래로 떨어뜨렸다.

"아직 가능성은 있다. 틀림없이 입소문이 퍼질 거라 믿고, 그 후에도 영화관 주변을 맴돌았어. 그런데 여전히 관객이 들질 않아. 제작비가 부족하니 광고할 돈도 없고, 이를 어쩌나 어쩌나 하는 사이, 단 2주 만에 간판 내려버린 신세지. 이런 잔인한 얘기 들어봤어? 이게 일본영화 현실이야. 걸려봐야 애니메이션이나 텔레비전 개작물투성이야. 대기업이 출자해서 인기 탤런트 쓰고 엄청나게 광고비 쏟아 부어 눈먼 돈 빼먹고 뒤로 빠지는 식이지. 이런 같잖은 소리 들어봤냐구?"

목소리가 떨렸다. 고개를 들어보니 기가 센 사쿠라의 눈에 눈물이 고여 있었다.

"그 감독은 앞으로 어떻게 살아야 하냔 말야. 새해 《키네준(キネ旬, 일본 영화잡지)》 베스트10에 드는 정도는 위로가 되질 못해. 세일즈 실적이 없으면 다음 찬스 같은 건 주어지질 않으니까. 감독의 심경을 생각하면 난 당분간 웃을 수도 없어. 난 아무것도 해줄 수가 없고. 겨우 연줄을 의지해 잡지에 홍보하는 정도지. 아직 만나보지도 못했어. 전화도 못 하겠고. 자포자기하지 않기만을 기도하는 수밖에. 살짝 물어봤더니 그 사람 날마

다 거리를 방황하고 다닌다더군. 어디 갈 만한 데도 없고 사람들도 만나기 싫으니까 혼자서 그냥 이리저리 걸어 다니기만 하는 거야. 그 말을 듣고 나니까 도저히 견딜 수가 없어."

그렇구나, 좌절하면 모두 방황하게 마련이구나. 아이코에게도 그런 경험이 있었다. 《내일》이 팔리지 않아 집에 있는 게 싫어서 매일 영화관만 들락거렸다. 갈 만한 곳이 없어 결국엔 후나바시까지 발길을 옮겼다. 멀리 보이는 영화관 스크린을 쳐다보다가 자기가 대체 뭘 짓을 하나 싶어 눈물이 나왔다.

"이 나라에서 영화 일 하는 건 이렇게 한심스러운 노릇이지. 이번에 보답이 없으면 이 사람은 영영 가망이 없습니다, 그러니 신이시여, 부디 히트시켜 주십시오, 두 손 모아 빌었지만 그래 봤자 성공할 확률은 너무 낮아. 나는 그들을 보면서 그런 생각을 해. 적어도 나만은 성실하게 일하자, 사기에 가담하는 짓만은 피하자, 그리고 겸허한 인간으로 살아가자고……."

아이코는 눈시울이 뜨거워졌다. 아라이도 눈언저리가 붉게 물들어 있었다. 이라부는 얌전하게 앉아 있었다.

"미안해, 유치한 소리 해서."

"아닙니다……." 아라이가 목멘 소리로 대답했다. "그 영화, 오늘 당장 보러 가겠습니다. 다른 사람들한테도 선전할게요."

"고마워요. 우시야마 씨도 부탁해."

아이코가 고개를 끄덕였다. 스커트 위로 눈물이 뚝 하고 떨어졌다. 사쿠라는 발길을 돌려 씩씩하게 현관을 향해 걸어갔다.

세 사람 모두 한동안 입을 열지 않았다. 대형 출판사 로비에는 잡다한 사람들이 오고갔다.

창밖에는 어느새 빗방울이 떨어지고 있었다. 누가 뿌리는 비인지 금방 알 것 같았다.

"어제 그 사람, 멋지던데." 이라부가 되록되록 눈알을 굴리며 말했다.

"내 친구잖아요." 아이코가 자랑스러운 듯 대답했다. 다시 진찰실에 와 있다. 원고를 포기하라고 온 것이다. 아라이에게 떠맡기는 건 너무 가엾다는 생각이 들었다.

이라부가 어깨를 움칠하며 받아들였다. "뭐, 괜찮아. 만화가 더 좋으니까."

"만화 원고 제안이라면 어디든 받아줄 거예요."

"정말? 그럼 다음에 걸작을 그려서……."

"단 문이 좁은 건 작가와 비교할 정도가 아니죠. 치열한 경쟁도."

이라부가 아랫입술을 깨물더니 "당분간 의사로 지내야지 뭐"라며 머리를 긁적였다.

"뭔가를 만들어내는 현장이란 데가 만만치 않더라구. 모두들 스트레스도 심한 것 같고. 나중에 편집하는 사람들한테 소개나 좀 시켜줘요. '작가와의 갈등 해소는 이라부 종합병원으로' 라고."

이보세요, 스트레스 주는 건 댁이잖아. 금방이라도 터져 나올 것 같은 말을 간신히 삼켰다.

"선생님, 의사 선생님들이 마음이 아플 때는 언제죠?" 아이코가 물었다.

"그야 물론 환자가 죽을 때지." 이라부가 코에 주름을 잡으며 말했다.

그렇지. 의료 현장에서는 사람의 죽음을 직면하게 되겠지. 쉽사리 짐작하는 게 실례일 정도로 고통스러운 일일 것이다.

"레지던트 시절에 내과에도 있었는데, 어린아이가 치료한 보람도 없이 죽어버리면 담당했던 사람들이 다 눈물을 흘려."

그렇겠지. 가슴이 찢어진다는 표현은 바로 그런 일을 가리키는 말일 게다.

"추도 기념 가라오케라도 가자고 꼬셔도 아무도 안 가더라구."

"오잉?" 엉겁결에 소리가 나오고 말았다.

"아니, 그러니까 그게 추모하는 의미래두."

정말이지, 이 남자는 상상을 초월한다. 언젠가 반드시 소설로 쓰리라. 난 넘어져도 빈손으로 일어서지는 않는다.

"이젠 쓸 수 있을 거 같아?"라고 묻는 이라부.

"아마, 괜찮을 거 같아요." 아이코가 대답했다.

분명 괜찮을 것이다. 그런 기분이 든다. 무너져버릴 것 같은 순간은 앞으로도 여러 번 겪을 것이다. 그럴 때마다 주위 사람이나 사물로부터 용기를 얻으면 된다. 모두들 그렇게 힘을 내고 살아간다. 어제 사쿠라가 한 말이 큰 격려가 되었다. 반성도 했다. 자신의 작은 그릇이 부끄럽게 느껴졌다.

세계 곳곳에서 벌어지는 이런저런 심각한 일들에 비하면 작가의 고민 따위는 모래알 하나에 불과할 것이다. 사라진대도 상관없다. 바람에 날려가도 괜찮다. 그때그때 한순간만이라도 반짝일 수만 있다면.

아이코는 진찰실을 나왔다. 여기 오길 잘한 거겠지. 잠깐 그런 생각을 하며 쓴웃음을 지었다. 어쨌거나 마음은 편해졌으니까.

계단을 오르기 시작했다. "저어~." 그 소리에 뒤를 돌아다보니 간호사 마유미가 서 있었다.

무슨 일이지. 발길을 멈췄다.

"호시야마 씨가 쓴 《내일》을 읽었어요." 마유미가 나지막한 목소리로 머뭇머뭇 말을 꺼냈다.

예기치 못했던 말이라 아이코는 어떻게 반응을 보여야 할지 망설여졌다.

"너무 재미있었는데, 그 말을 해야 할 거 같아서."

"아……." 아이코는 할 말을 잃었다. 까맣게 잊고 있었다. 독자가 있다.

"저, 소설 읽고 운 건 태어나서 처음이라."

나는 구제 불가능한 멍청이다. 독자를 잊고 있었다니.

마유미는 화가 난 것 같은 표정이었다. 눈도 마주치지 않았다. 쑥스러운 모양이다. 귀엽다.

"그래요, 고마워요." 아이코는 가슴에서 우러나온 말을 건넸
다. 뛰어오를 만큼 기뻤다.

"그것뿐이에요. 그런 거 또 써주세요."

"응. 쓸게. 오늘부터 쓸게요."

마유미가 종종걸음을 치며 사라졌다. 뭐야, 조금 더 얘기하
지. 저런 붙임성 없는 것 같으니라구.

그렇지만 감격했다. 일부러 쫓아 나와 말해준 것이다. 가슴
이 뜨거워졌다.

인간의 보물은 말이다. 한순간에 사람을 다시 일으켜주는 게
말이다. 그런 말을 다루는 일을 하는 자신이 자랑스럽다. 신에
게 감사하자.

"아~자!" 아이코는 두 계단씩 뛰어 올라갔다. 밖으로 나가서
도 내쳐 달렸다.

"야호~옷~" 하늘 높이 뛰어올랐다.

옮긴이의 말

인간의 삶에는 가벼운 것과 무거운 것이 서로 경계를 알 수 없게 버무려져 있다. 그리고 사람마다 가벼움과 무거움의 정도는 다르다. 한마디로 상대적이다. 인간의 삶은 또한 겉과 속이 다르게 되어 있다. 완벽주의자는 있지만 완벽한 사람은 없듯이, 겉으로는 그렇게 보여도 속까지 그런 사람은 없을지도 모른다. 이 역시 상대적이다.

더러는 가벼워 보이던 것, 하찮던 것, 사소한 성격적 결함이 정신적 질환으로 이어지는 수가 있다. 그렇게 되는 계기는 아무도 알 수 없다. 다만 대다수의 사람은 그렇지 않다는 것만을 알 수 있을 뿐이다. 그러나 그것 역시 알 수 없다. 사회생활을 하면서 누구나 만들어 쓰고 있는 가면이 어떤 방패 노릇을 하고 있기 때문인지도 모른다.

오쿠다 히데오의 이 소설들을 읽다 보면 가면 뒤에 있는 자신의 참모습을 들킨 것처럼 뜨끔한 경우가 있다. 인간에 대한 일반론까지 갈 것도 없이 여기 등장하는 사람들 모두가 결정적인 순간에 직면하여 가벼움과 무거움, 겉과 속의 경계선을 남김없이 드러내고 그것이 독자의 내면으로까지 파고들기 때문이다.

작가가 인간 내면과 행동의 켜를 이처럼 섬세하게 발견하여 서술할 수 있었던 데에는 기획자, 잡지 편집자, 카피라이터, 구성작가라는 폭넓고 탄탄한 이력이 큰 몫을 한 듯도 하다. 또한 그는 4회에 걸쳐 각종 문학상 후보에 오를 만큼 주목받는 작가였고, 마침내《공중그네》로 제131회 나오키상을 수상했다.

어찌 보면 심각할 수도 있을 주제를 형상화하는 그의 능력은 탁월하다. 주인공 의사 이라부만 보아도 작가의 독특한 구성력을 짐작케 한다. 아이와도 같은 순수함과 충만한 호기심으로 살아가는 이라부의 모습을 통해 작가는 정답이 있을 수 없는 세상이니 남의 눈치 보지 말고 소신껏 살아가라는 충고를 하고 있는 듯하다. 그러나 그 충고는 무겁게 짓누르는 것이 아니다. 이 소설에 등장하는 다섯 명의 환자들과 벌이는 이라부의 엽기적인(?) 언행이나 그가 환자들에게 능동적인 힘을 부여하는 과정을 보면서 독자는 웃음을 참을 수가 없기 때문이다. 그리고 그러한 웃음을 만들어내면서 작가는 자신을 지키고 추스를 수 있는 존재는 자기 자신밖에 없다는 메시지를 주는 것이다.

문득문득 주인공 이라부의 환자가 된 듯한 기분으로 작업을 했고, 끝마칠 즈음에는 나 자신이 이라부의 치료를 받아 자신감이 솟아나는 느낌이 들기도 했다. 지친 삶에서 피로해진 마음을 가진 독자들도 이라부 박사에게 치료를 받는다는 생각으로 읽는다면 더할 나위 없는 보람이겠다.

이영미

공중그네

1판 1쇄 발행 2005년 1월 15일
1판 29쇄 발행 2006년 8월 10일

지은이 · 오쿠다 히데오
옮긴이 · 이영미
펴낸이 · 주연선

도서출판 은행나무
121-839 서울특별시 마포구 서교동 384-12
전화 · 02)3143-0651~3 | 팩스 · 02)3143-0654
등록번호 · 제 10-1522호(1997. 12. 12)
www.ehbook.co.kr
ehbook@ehbook.co.kr

잘못된 책은 바꿔드립니다.

ISBN 89-5660-102-x 03830